잘 모르던 아이

잘 모르던 아이

은이결 소설집

라임

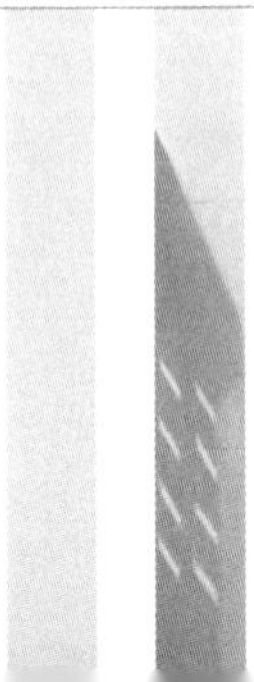

차 례

스토커

최악이다. 겨우 2층인데 발을 질질 끌며 올라와 간신히 문을 열었다. 안고 있던 봉지를 현관에 팽개쳤다. 손잡이 한쪽이 찢어진 비닐봉지 안에서 만화책이 쏟아져 나왔다. 내가 아끼고 사랑하는 시리즈물이지만 오늘은 애물단지로 전락했다.

"용진이 새끼, 일부러 그런 거 아니야?"

이제야 용진이가 의심스럽다. 하필 오늘 스무 권을 몽땅 돌려줄 게 뭐람?

벗어 던진 부츠는 탁자 밑으로 날아갔다. 바지 지퍼를 열어 욱여넣었던 뱃살을 풀어 주었다. 이런 꼴로 종일 성곽 길을 헤맸다. 피곤함과 억울함이 한숨이 되어 터져 나왔다. 걸어 다니는 것, 그중에서도 계단을 올라가는 걸 가장 싫어하는 내가 악조건을 참고 견딘 건 쏭이 앞서가고 있기 때문이었다.

바닥에 철퍼덕 드러누웠다. 등으로 기어서 탁자를 지났다. 그대로 주방까지 직진한 뒤 냉장고 문에 두 발을 올려놓았다. 이 위치여야 맞은편에 있는 103동 5층이 잘 보인다. 그곳엔 지금 막 헤어진 쏭이 산다. 방금 헤어졌지만 같이 있었던 건 아니다. 같은 시간, 같은 장소에 있었어도 함께였다고 할 수는 없다. 슬프다.

쏭 방 창가에 그림자가 어른거렸다. 귀엽고 사랑스러운 동생. 못 본 사이 얼굴이 뽀얘졌고 머리카락이 귀에 걸릴 만큼 길어졌다. 이 가을, 과일이 영글어 가듯 쏭이 영글어 간다. 날 뻑 가게 만든 아이 같은 모습이 사라지고 있었다. 그래도 좋았다. 그냥 다 좋았다.

커튼이 움직이더니 창밖으로 쏭이 머리를 내밀었다. 나는 벌떡 일어나 앉았다. 쏭이 밖을 내다보다니, 좀처럼 없던 일이었다. 주위를 한번 휙 둘러본 쏭이 창문을 닫았다. 우리 집 언저리에서 시선이 잠깐 멈춘 듯했다. 나의 착각일까?

나도 밖을 내다보았다. 아무도 없었다. 보름달을 닮은 동그란 가로등 불빛만 어둠 속에 둥실 떠 있다. 두 다리가 다시 누우라고 아우성이었다. 바지를 벗었다. 퉁퉁 부은 다리도 해방되었다.

뭘까? 왜 그랬을까? 오늘따라 쏭이 좀 이상했다. 쏭은 도서관을 다니는 동안 쳐다보지도 않던 성곽 길을 올라갔다. 더구나 처음 보는 남자 같은 여자와 함께였다. 한 달 사이에 무슨 일이 있었던 걸까? JJ 스포츠 추리닝은 또 뭘까?

깜박 잠이 들었다가 깨어 보니 쏭 방에 불이 꺼져 있었다.

"하긴, 우리 쏭에게 낭만 감성이 있긴 하지."

오늘 일은 쏭이 푹푹 쌓여 가는 가을을 느끼고 싶어서였을 거라고 결론 내렸다. 기록해 두려고 블랙 수첩을 찾았다. 없다, 가방에도 책상에도. 책 사이를 펼쳐 보고 옷장까지 열어 봤다. 방을 홀라당 뒤집어도 나오지 않았다.

_가져갔지?

엄마에게 문자를 보냈다. 고객 전화를 기다리는 엄마는 내 전화를 받지 않는다. 엄마가 그동안 모르고 지나간 쏭들에 대한 것들이 계속 비밀로 남으면 좋을 텐데, 수첩을 봤다면 아마 모조리 알아냈을 것이다.

_또 뭐? 네 꺼 안 만진다니까.

나는 지난 생일에 엄마로부터 '내 방에 손 안 대기' 약속을 받아 냈다. 엄마는 돈 안 드는 일이니 반드시 지키겠노라고 했다. 그래도 뭔가 없어졌다면 내 것에 손을 댈 사람은 엄마뿐이다. 우린 단출한 2인 가정이니까.

찾아야 했다. 블랙 수첩은 이틀 전 잃어버린 무릎 담요와는 비교도 안 될 만큼 중요했다. 거기엔 나에 관한, 또 여러 명의 쏭에 관한 많은 것들이 쓰여 있었다.

나는 엄마 방 서랍장에 있는 것을 하나씩 꺼내 바닥에 던졌다. 옷가지들 사이에서 내 것들이 나왔을 때처럼, 오늘도 나오기를 혹은 나오지 않기를 바랐다.

처음 쏭을 봤을 때는 그저 그랬다. 103동 5층으로 이삿짐 사다리가 올라가던 날, 트럭 맞은편에서 아이가 얼쩡거리는 걸 봤다. 이마에 난 여드름과 여중생으로서는 흔치 않은 투 블록 커트, 중간 키에 때 묻은 스니커즈.

내가 편의점에서 돌아올 때까지도 아이는 같은 자리에 서 있었다. 나는 우리 집 현관까지 왔다가 다시 돌아가서 천천히 아이의 뒤로 갔다. 가까이서 보니 아이의 머릿결이 예술이었다. 짙은 갈색 머리카락은 햇빛을 발라 놓은 듯 반짝반짝 윤이 났다. 그 좋은 머릿결을 무시하고 과감한 커트 머리를 한 건 용기로밖에 보이지 않았다. 이따금 머리카락을 손으로 쓸어 넘기는 모습이 참 예뻤다. 빛나는 머릿결과 짧은 커트와 그것을 쓸어 넘기는 것은 내가 한 번도 해 보지 못한 것들이었다. 하지만 그때까지도 마음과 시간을 나눌 새로운 아이로 쏭을 낙점할지 확신이 서지 않았다.

그 후에 아이를 몇 번 더 보았다. 비 오는 날 체육복 윗도리로 가방을 덮은 채 뛰던 아이는 쫄딱 젖어 있었다. 또 어느 날은 나를 앞질러 달려가다가 손에서 실내화를 떨어뜨렸다. 나는 실내화를 주워서 되돌아오는 아이에게 건넸다. 아이는 말없이 고개만 꾸뻑 숙이고 다시 줄행랑을 치듯 내달렸다.

그 아이를 찍은 건 동 대표인 엄마 심부름으로 '재활용품 수거 업체 선정' 어쩌고 하는 서류에 사인을 받으러 가서였다. 엄마는 동 대표가 공석인 103동 일까지 맡고 있었다. 빌라엔 엘리베이터가 없었다. 그래서 엄마는 4층이나 5층 볼일에는 나를 보냈다.

문을 열어 준 게 쏭이었고, 아이는 내가 졸업한 중학교 교복 차림이었다.

"어? 후배네."

겨우 반년 다녔지만 졸업장이 있으니 선배는 맞다. 비 오는 날 입은 체육복을 보고 이미 후배인 걸 알고 있었다.

쏭은 나를 기억해서인지, 혹은 내가 여자여서인지 조금의 경계심도 없었다.

"꼭 어른이 사인해야 해요?"

나도 잘 몰랐다.

"그냥 제가 할게요. 5층까지 올라오는 거 힘들잖아요. 그죠?"

그죠? 뒤에 따라오는 미소에 나까지 환해졌다. 쏭이라는 사인이 채워진 서류를 받아 가슴에 안았다. 나는 마음을 정했다.

"쏭? 송 씨야?"

"아니, 박 씨고요. 이름이 송주예요."

"나도 박 씨인데, 박지애야. 나, 중학교 옆에 있는 고등학교 다녀. 1학년. 내일 학교 같이 갈래?"

쏭이 새삼스레 나를 위아래로 살폈다.

"저랑요? 왜요?"

쏭의 반응에 살짝 맘이 상했다. 하지만 경험으로 보면 처음은 이렇게 호기심과 의구심 사이에서 시작하는 법이다.

다음 날 아침, 쏭은 빌라 입구에 서 있는 나를 보고 움찔 놀랐다.

우린 학교까지 걸어갔다. 평소에는 버스를 타지만 이날은 버스 정류장 쪽을 쳐다보지도 않았다.

“나도 작년에, 중3 2학기 때 전학 와서 학교에 적응하기도 전에 졸업했잖아. 좀 그렇더라.”

“아, 저는 전학은 아니고 이사만.”

그렇다면, 다른 곳에서 공통점을 찾자.

나는 외동이라고 했다. 티격태격해도 좋으니 가끔은 언니나 동생이 있었으면 좋겠다고 속마음을 비쳤다.

“그죠? 저도 그래요. 친척 집 가면 언니 오빠 동생끼리 붙어 있는 거 부러울 때 있어요.”

“맞아, 넌 언니랑 동생 중 누가 더 필요해?”

“당연히 언니죠. 동생은 좀……, 귀여운 건 잠깐이고 귀찮을 것 같아요.”

나는 스프링 목을 가진 인형마냥 정신없이 고개를 끄떡였다. 기꺼이 쏭의 언니가 되어 주겠다고 속으로 다짐했다.

쏭에게 이사를 온 이유를 물었다.

“친척이 근처에 살아서 엄마가 이 동네로 오자고 했어요. 하여튼 엄마 마음대로예요.”

“나도 엄마 때문인데. 엄마 직장이 우리 집 유일한 돈줄이거든.”

쏭이 천천히 한 번, 두 번, 그리고 또 한 번 고개를 끄떡였다. 숨은 사연을 짐작해 보는 시간, 말하지 않은 것까지도 이해한다는 듯한 표정이었다.

나는 그런 쏭을 슬쩍 쳐다보고는 가방을 추슬렀다. 까마귀 두 마리가 지나갈 정도의 침묵이 흘렀다. 쏭은 자신의 반응이 실례가 된다는 걸 뒤늦게 깨달은 것 같았다. 저는요, 하며 두서없는 말을 했다.

"SNS 열심히 해요. 별건 아니고 밥 먹고 학교 가고, 이런 사소한 거 올려요. 아, 그리고 추리 소설 읽은 것도요."

벌써 중학교 교문이 보였다. 마음이 급했다.

"추리 소설? 나도 완전 좋아해. 요즘엔 통 못 읽었네. 재밌게 읽은 거 있어?"

쏭이 즉시 휴대폰을 꺼내 SNS 앱을 켰다. 책 표지 사진을 확대해서 보여 주며 주인공과 사건을 읊어 대는 동안 나는 쏭의 프로필 사진만 뚫어져라 봤다.

잠시 후 쏭이 "언니, 안녕." 하고 중학교 교문 안으로 들어갔다. 쏭이 나더러 언니라고 했다. 좋은 징조였다. 어깨가 으쓱 올라갔다.

학교 담에 붙어서 SNS를 열었다. 쏭의 학교와 관심사와 프로필 사진까지 알았으니 SNS에서 박송주를 찾는 건 바닷가 모래사장에서 빨간 텐트를 찾는 것만큼 쉬운 일이었다. 그러느라 학교에 조금 늦었다.

어제 올린 글이 있었다.

저랑요? 왜요?

물음표와 숫자 3을 반반씩 닮은 라면 면발 세 가닥을 찍은 사진이 올라와 있었다. 무심한 듯 일상을 담은 사진이 마음에 쏙 들었다. 나와의 일을 간접적으로 SNS에 남겼다는 건, 그것도 첫 만남을 기록했다는 건 엄청난 일이었다. 이건 문을 활짝 열어 놓고 내가 오길 기다리는 것이나 마찬가지였다. 동생을 절친한 친구로 삼은 적은 없지만 이번엔 새로울 것 같은 기대감이 퐁퐁 샘솟았다. 당장 친구 신청을 하고 싶은 걸 꾹 참았다. 예전의 누군가처럼 쏭이 나의 열정을 달려드는 미친개의 광기로 오해하면 안 된다.

이틀 후에야 쏭에게 SNS 친구가 되어 달라고 했다. 곧바로 수락한다는 답이 왔다. 나는 새벽까지 쏭이 올린 그동안의 기록들을 살폈다.

그렇게 시작했다. 하루에도 몇 번씩 쏭의 SNS에 들어갔다. 새로운 글이 올라오기를 기다렸다가 '좋아요'를 누르고 댓글을 달았다. 며칠이 지나고 알아낸 사실이지만 항상 첫 번째로 댓글을 다는 친구가 있었다. 바로 우용진이었다.

우용진은 쏭이 글을 올리면 곧바로 댓글을 달았다. 결코 5분을 넘기지 않았다. 다섯 번 연거푸 첫 댓글을 빼앗기자 나는 제정신이 아니었다. 급기야 부모님한테 급히 연락을 해야 한다고 거짓말을 하고 담임 선생님에게 휴대폰을 받았다. 쉬는 시간마다 SNS를 확인했다. 결과는 마찬가지였다. 이유는 단 하나, 중학교 쉬는 시간과 고등학교 쉬는 시간이 달랐다.

다음 날부터 예전에 쓰던 고장 난 휴대폰을 담임 선생님에게 냈다. 그러고는 수업 시간에도 수시로 휴대폰을 확인했다. 쏭이 글을 올리는 시각은 일정치 않았다. 아침일 때도, 분명 수업 중일 것 같은 시각일 때도 있었다. 하루 종일 소식이 없으면 초조하고 불안했다. 그러다 밤에 서너 개의 소식이 한꺼번에 올라오면 신이 났다. 식욕이 당기고 뭐든지 해치울 수 있을 것만 같은 의욕이 넘쳤다.

첫 목표는 쏭의 소식에 가장 먼저 댓글을 다는 것이었다. SNS 친구가 된 지 열흘이 넘어서야 성공할 수 있었다. 우용진에게 SNS로 메시지를 보냈다.

_꺼지시지!

답이 없었지만 괜찮다. 봤으면, 알아들었으면 됐다.

그동안 쏭의 친구 관계도 파악했다. 우용진은 같은 반 친구(건조한 댓글을 보면 사귀는 사이가 아닌 게 확실했다.), 이현은 추리 소설 블로그에서 만난 사람(친구 외에는 비공개라서 정보를 알 수 없었다.), 은규리는 이사 오기 전에 살던 동네 친구였다. 이 셋을 제외한 수많은 친구들은 신경 쓰지 않아도 되는 나머지 것들이었다.

쏭의 하루는 간단했다. 학교에서 돌아오면 저녁을 먹고 버스 정류장 건너편 상가에 있는 수학 학원을 다녀오는 게 다였다. 주말엔 성곽 아래 도서관에 가서 추리 소설과 잡지를 보거나 빌려 왔다. 쏭의 일정 대부분을 함께할 수는 없었지만 도서관을 가는 건 맞출 수 있었다. 집에서부터 함께 가거나 내가 버스 정류장에서 쏭을 기다렸다.

쏭이 책을 고르는 동안 나는 쏭이 읽은 책들을 빌렸다. 매주 책 두 권을 읽고 꾸준히 댓글을 달자, 쏭은 나에게 추리 소설과 관련된 블로그들을 알려 주었고 신간 소식도 공유해 주었다. 그리고 책에 관한 내 댓글에 '그죠, 맞아요, 핵공감, 소오름, 엄지 척' 등 짧고 담백한 호응을 달았다.

나는 '좋아요' 이모티콘을 누르는 쏭의 표정을 상상하는 것만으로도 흐뭇했다. 자신이 좋아하는 것을 상대방도 흔쾌히 좋아해 줄 때 어떤 기분인지 잘 알기 때문이었다.

쏭의 SNS는 사진과 짧은 글로만 채워졌다. 매번 한두 줄로 그친 문장이 자칫 성의 없어 보일 수도 있지만 그건 스스로를 다 드러내지 않는 것일 뿐이었다. 말만 번지르르하고 알맹이가 없는 그런 아이가 아닌 것이다. 만나면 친절하고, 물으면 조곤조곤 답을 하는 것만 봐도 알 수 있었다. 아쉽게도 언니라는 호칭은 딱 한 번 들어 봤다. 두 달이 지나도록 나를 여전히 선배님이라고 부르는 걸 보면 낯가림도 있는 것 같았다.

한번은 쏭이 예고도 없이 우리 집에 왔다. 일 년에 한 번 세대 전체에 나눠 주는 쓰레기봉투를 받으러 온 것이다. 쏭은 빈손이 아니었다. 홍시가 든 바구니를 내밀었다.

나는 감동했다.

"어우, 뭐야? 내가 홍시 좋아한다고 한 거 기억하고 있었어?"

함께 학교 가는 길에 빌라 화단 나무에 열린 감을 보고 홍시면 좋겠다고 한 적이 있었다.

"어……, 저……, 그냥 엄마가, 많아서 나눠 드리는 거래요."

쏭은 그럴듯한 핑계로 속마음을 감추는 것인지도 몰랐다. 나는 그 자리에서 홍시 하나를 반으로 갈라서 쏭에게 주었다. 쏭은 괜찮아요, 라며 배시시 웃었다. 억지로 손에 쥐여 주자 후루룩 오물오물, 맛있게 먹었다.

쏭은 마음을 꺼내 보이는 데 서툰 아이였다. 친해지는 데 시간이 걸리는 예전의 나처럼 말이다. 내가 이렇게 적극적으로 변할지 아무도 몰랐을 것이다. 나이도 성별도 상관없이 친해지고 싶은 사람이 생기면 먼저 말을 걸고 연락하고 찾아가는 게 바로 지금의 나다.

그런데 쏭이 달라졌다. 두 달 만이었다. 쏭은 주말이 아닌 평일 저녁에 도서관에 갔다. 그걸 알아차린 건 토요일과 일요일, 연거푸 쏭을 보지 못하고 나서였다.

월요일부터 하교하자마자 학교와 집 사이 길목에서 무작정 기다렸다. 화요일 해 질 녘, 쏭이 집을 나와 학원이 아닌 도서관으로 가는 버스를 탔다. 당연히 나도 갔다. 새삼스럽게도 쏭은 따라오지 말라고 했다. 나는 학교에 갈 때처럼 같이 가는 거라고 했다. 쏭이 반납하는 책을 그 자리에서 빌렸다. 쏭이 잔뜩 찡그린 채 한숨을 쉬었다. 그런 표정이 생소했지만 귀여워서 웃음이 났다.

그리고 학교에 갈 때만큼은 함께였는데 이젠 아닌 날들이 늘어나고 있었다. 쏭이 집에서 나오는 시각을 종잡을 수 없었다. 어느 날은 너무 빨랐고, 또 어느 날은 내가 지각할 정도로 아슬아슬하게 나타났다.

"왜 날 피해?"

"제가요? 그런 적 없는데요."

쏭이 아주 늦게 집에서 나온 날, 따졌더니 10분 전에야 겨우 일어났다고 했다.

"엄마가 깨우고 출근했는데 또 잤어요. 먼저 가세요."

쏭은 자신은 걸어가도 시간이 충분하니 나더러 버스를 타고 가라고 했다. 그러고 보니 말할 때 앞뒤로 붙던 '선배님' 호칭도 생략하고 있었다.

다음 날부터 나는 쏭을 깨우기 시작했다.

"쏭, 학교 가자."

전화가 끊겼다. 5분 후에 다시 걸었다. 받지 않았다. 그래서 집으로 전화를 했다. 동 대표인 엄마 덕분에 103동 502호 전화번호를 알아내는 건 쉬웠다.

"쏭, 일어났지? 다시 눕지 말고, 얼른 씻어."

쏭의 집 거실 커튼이 살짝 들렸다. 그럴 줄 알고 베란다에서 해맑게 손을 흔들어 주었다.

쏭이 저녁을 먹고 학원에 가는 시각은 정확하다, 아니 정확했다. 이젠 학교에서 집으로 오지 않고 행방불명이 되기도 했다. 다행히 학원 수업이 끝나고 나면 어김없이 밖으로 나왔다. 그러나 그마저도 문제였다. 학원과 피트니스 센터와 병원이 들어찬 8층 건물은 1층 출입구가 세 개나 된다. 쏭을 연달아 세 번을 놓친 후에야 나는 1층 엘리베이터 앞에서 기다렸다.

그것도 일주일을 넘지 못했다. 하는 수 없이 7층까지 올라가 복도에서 기다렸다. 쏭이 주차장 문으로 나가든 골목이나 사거리 출입구로 나가든 더 이상 나와 어긋나는 일은 없었다. 쏭은 변수를 좋아하는지도 모른다. 하루걸러 하루씩 7층 엘리베이터 앞에 있다가 갑자기 비상구 계단으로 뛰었다. 당황한 나는 아이들을 제치고 쏭을 따라서 달려야 했다.

어느 날, 쏭이 계단을 내려가지 않고 올라가는 것을 보고 나는 폭발하고 말았다. 난 계단을 싫어한다. 당연히 내려가는 것보다 올라가는 걸 더 싫어한다. 7층에서 1층까지 계단으로 내려가는 것도 쏭이 하는 것이라서 참아 왔다. 쏭이 위로 올라간다는 건 이래도 따라올래? 하는, 나를 향한 조롱이었다.

그러나 난 포기하지 않았다. 쏭을 내 시야에서 벗어나게 두지 않았다. 그날 나는 쏭이 달아나는 뒷모습을 휴대폰으로 찍어서 SNS 댓글로 남겼다.

피하지마피하지마피하지마!

지구대에 간 건, 가로수에 단풍이 들기 시작할 무렵이었다.

그날은 아침부터 기분이 좋지 않았다. 모닝콜을 했는데 신호가 울리기도 전에 쏭이 받아서는,

"저 학교예요."

하고 뚝 끊었다.

난 한 마디도 하지 못했다. 이 시간에 등교를 했다는 게 믿어지지 않았다. SNS에 들어갔다. 벌써 소식이 올라와 있었다. 가방을 메고 캐리어를 끌고 가는 뒷모습이었다. 그 모습 옆으로는 누군가의 치켜든 주먹이 보였다. 삐뚤어지는 마음을 다잡으려 했지만 댓글이 무려 16개가 달린 걸 보고 속이 부글부글 끓어올랐다. 지금 댓글을 써 봤자

내 이름은 긴 줄 어딘가에 묻혀 버릴 게 뻔했다. 사진 속 캐리어와 주먹도 수상쩍었다. 일단 씻으러 갔다. 학교에 가면서 천천히 생각해 보기로 했다.

빌라 담벼락을 벗어나 얼마 가지 못하고 주택가 골목에서 나오는 쏭과 딱 마주쳤다. 용진이와 함께였다. 학교에 갔다는 건 거짓말이었다. 쏭은 나를 보자 꺅 소리를 지르며 용진이에게 매달렸다. 나는 끈질기게 쏭을 쫓았다. 쏭이 버스를 타면 나도 버스를 탔고 쏭이 뛰면 나도 뛰었다. 중학교 안으로 따라 들어갔다. 쏭이 교실로 들어가 자리에 앉는 것을 복도 창문으로 지켜보았다.

용진이가 나를 창문에서 억지로 떼어 냈다. 중학생이라도 남자는 남자였다. 잡아끄는 힘이 장난이 아니었다.

"송주 왜 따라다녀요? 왜 괴롭히는데요? 이거 학폭 아니에요?"

"뭐래? 네가 뭔데 끼어들어? 그리고 뭐? 학폭? 웃기시네, 나 쏭주 엄청 예뻐하거든."

우용진은 한 치도 물러서지 않았다.

"선배는 뭔데요? 선배면 선배답게 굴고, 예뻐하면 그냥 둬요. 선배 말고 우리 학교에도 송주 예뻐하는 애들 많아요."

"송주랑 사귀어? 남친이야? 아니지?"

용진이가 입을 삐죽거리고 만다.

"가세요! 지금 선생님 부르러 갈 거니까."

지질한 새끼, 뭘 또 선생님까지!

"나, 괜히 온 거 아니거든, 송주한테 줄 게 있어서 왔어. 도대체 만날 수가 있어야 말이지."

나는 가방에서 종이 상자를 꺼냈다. 거기엔 그동안 쏭을 생각하며 사 모은 아기자기한 것들이 들어 있었다. 메모지, 스티커, 초콜릿, 캐릭터 연필, 미니 수첩, 비타민 캡슐 등등.

부르기도 전에 쏭이 나왔다. 반가운 마음에 뚜껑을 열어 내밀었지만 쏭은 상자엔 눈길도 주지 않았다.

"싫어요."

쏭의 목소리가 떨렸다. 달아오른 볼이 더 빨개지는 게 눈에 보일 정도였다.

"저 따라다니지 않았으면 좋겠어요."

또박또박 뱉어 내는 게 힘이 드는지 주먹을 꽉 쥐었다. 용진이 그런 쏭을 교실로 데려갔다.

얼쯤하니 혼자 남겨진 후에야 나를 향한 수많은 눈들이 느껴졌다. 내 실수였다. 쏭은 구경꾼들로 인해 부끄러운 것이었다. 동네 언니가 갑자기 찾아와서 선물 상자를 내밀었으니 당황할 만했다. 이런 건 둘만 있는 곳에서 조용히 건네는 게 맞다. 그리고 친하게 지내자고, 내 동생 하자고, 언니가 되어 주겠다고 부드럽게 권유해야 했다.

조금씩 차오르던 자책감이 계단을 내려가는 나를 따라서 줄줄 흘러내리더니 교문을 나설 때에는 해일이 되어 몰아쳤다. 욕을 하고 머리통을 쥐어박았다. 이대로는 도저히 못 견디겠다. 쏭에게 제대로 사과하기로 했다.

쏭은 학교가 끝나고 학원에 갈 시각이 지나도록 집으로 돌아오지 않았다. 나는 학원으로 뛰어가 교실을 뒤졌다. 학원 안을 세 번이나 돌고서야 교실 창문 바로 아래에 딱 붙어 있는 쏭의 윤기 흐르는 머리통을 발견했다.

안내 데스크에 있는 선생님에게 물었다.

"박송주, 오늘도 10시에 끝나요?"

선생님이 눈을 희멀겋게 치켜뜨더니 목소리를 홀딱 까뒤집었다.

"너니? 송주 괴롭힌다는 애? 멀쩡하게 생겨서 왜 그러고 다녀?"

선생님이 파리를 쫓듯 나를 밖으로 내몰았다.

그렇다고 포기할 내가 아니었다. 나는 학원 광고판 아래에 앉았다. 데려가기를 기다리는 식당 배달통 옆자리였다.

결국 쏭은 모두가 돌아갈 때까지 밖으로 나오지 않았다. 배달통이 들려 나가고 한 시간 후에 나는 경찰 두 명과 동행했다.

지구대에 갔을 때엔 자정이 가까운 시각이었다.

경찰은 쏭과 용진이를 볼 수 없는 곳에다 내 자리를 내어주었다. 쏭 부모님에다 용진이 부모님까지 왔다. 오늘 일을 조목조목 일러바치는 용진이 목소리가 들렸다.

"이모, 그러니까 내가 우리 아랫집으로 이사 오라고 했잖아. 그때 딱 좋았는데."

이어서 아줌마 목소리가 또랑또랑 울렸다.

"형부가 확실하게 하라고 할 때 들을 걸 그랬어요. 아침마다 전화할 때 잘랐어야 했는데."

나는 슬그머니 일어나 칸막이를 넘겨다보았다. 아줌마 둘이 쌍둥이처럼 닮았다. 쏭 엄마가 용진이 엄마의 동생이고, 쏭과 용진이는 사촌이었다. 근처에 산다는 쏭 친척이 용진이었다. 여태껏 그걸 몰랐다니, 내가 쏭에 대해서 놓친 게 있다는 사실이 지구대에 온 것보다 더 충격이었다.

엄마는 동 대표 모임이 3차까지 이어졌다며 아주 많이 늦었다. 어디를 가나 고객 확보에 혈안이 되어 있는 엄마는 거기에서도 예비 고객들을 파악했을 것이다. 어쩌면 계약을 성사시키느라 늦었는지도 모른다. 한번 물면 기어이 계약서에 사인을 받아 내고야 마니까. 그렇게 성사시킨 계약으로 가끔 인사를 받을 때도 있었다. 고객이 엄마 덕분에 보험금을 탈 수 있었다고 선물을 들고 찾아오기도 했다.

보호자가 온 후에야 나에게도 말할 기회가 주어졌다. 엄마가 자신을 유진빌라 107동 동 대표라고 소개하며 경찰과 저쪽 보호자들과 인사를 나눈 후였다.

"쏭이, 아니 송주가 이사 와서 이것저것 도와주려고 했어요. 후배이기도 하고요. SNS는 송주가 친구 신청을 받아 줬어요. 몰래 들어가고 신상 털고, 그런 거 아니에요. 오늘은 사과하려고 기다린 것뿐이에요."

쏭 엄마가 팔짱을 끼고 한 발 앞으로 나왔다.

"사과는 무슨? 무조건 싫다잖아!"

"이모, 말 걸지 마. 상대하지 마."

자꾸만 나서는 용진이에게 쏘아붙였다.

"네가 뭔 상관이야? 꺼져."

경찰을 부른 것도 분명 저 녀석이었다. 친척이면 껌딱지처럼 착 달라붙어서 쏭의 사생활까지 간섭해도 되는 건가?

엄마는 내 옆구리를 찔렀다. 빨리 사과하고 가자고 재촉했다. 피곤하다고 했다.

“지애가 사람이든 물건이든 한번 꽂히면 그것밖에 몰라요. 너무 일관되고 열정적인 게 문제예요. 그래도 사과는 무지 잘해요, 그렇지?”

나는 꺼져 가는 목소리로 연거푸 세 번이나 미안하다고 말했지만 전혀 미안하지 않았다. 지구대에 올 만한 일도, 모두에게 사과할 일도 하지 않았으니까.

엄마가 집으로 돌아오며 말했다.

“심심하면 다시 학원 다닐래? 아님 알바할래? 보호자 동의서 써줘?”

중학교 때 친구 문제로 다 끊어 버린 학원이었다. 엄마 말은 공부를 하든지 용돈을 벌든지 하라는 것이다.

“또 이사 가게 만들지 마. 지긋지긋해.”

오늘과 비슷한 일이 이미 세 번 더 있었다. 그동안의 쏭들이 원하는 건 한결같았다. 내가 그들의 눈앞에서 사라지는 것. 엄마는 그들의 요구대로 나를 전학시키고 집을 옮기는 것으로 말끔히 일을 해결했다.

“엄마는 좋은 거 아니야? 가는 동네마다 새 고객 모집하고, 좋잖아!”

엄마 손이 내 머리 위로 치켜 올라가다가 멈췄다. 늦은 밤이긴 했지만 사방이 트여 있는 밖이었다. 뒤에는 쏭과 일행이 오고 있었다.

“나 자존심 팍 꺾고 굽실거려 가며 동 대표 맡았어. 사람들하고 친해지면 웬만한 건 그냥 넘어갈 수 있어. 다시는 이사 안 가."

그러니까 동 대표 자리도 날 위해서라는 것이다. 거짓말, 고객 모집하려고 동 대표 하면서.

"그러다 너도 당해."

"뭘?"

"좋아한다며? 누가 이런 식으로 널 따라다니면 어떨 것 같아?"

그럴 리 없다. 누가 날 이렇게까지 간절하고 끈끈하게 좋아해 줄까? 엄마도 귀찮아하는 나를.

그날 이후, 쏭은 집에 오지 않았고 좋아하는 SNS도 쉬었다. 학원과 도서관에서도 볼 수 없었다. 사진 속 캐리어는 집을 떠나는 걸 의미하는 것이었다. 아침마다 용진이와 함께 학교 앞 버스 정류장에 나타나는 걸 보면 용진이 집으로 간 게 확실했다. 이러다 쏭이 이사를 가는 건 아니겠지? 초조했다. 불안했다. 화가 났다.

용진이의 집을 알아내려고 기회를 엿보고 있을 때 쏭이 돌아왔다. 한 달 만이었다. SNS도 다시 열었다. 감격스럽게도 나를 차단하지도, 친구 관계를 끊지도 않았다. 변한 건 없었다. 쏭이 올린 지난 글에 새롭게 달린 댓글도 없어 보였고 친구도 그대로인 것 같았다. 나를 피한다는 의심은 저절로 사그라졌다.

새롭게 올라온 첫 사진은 빌라와 하늘과 길이 들어간 동네 풍경이었다. 사진 오른쪽 끄트머리에 우리 집도 살짝 걸쳐져 있었다. 5층 쏭의 집에서 찍은 것 같았다.

눈에는 눈, 이에는 이. 새롭게!

이래서 내가 쏭을 좋아한다. 평범한 일상을 감성 사진으로 담아낼 줄 안다. 또래들처럼 예쁜 척 표정을 연기하는 사진도 없고, 허세를 부리거나 간지러운 감상 글도 없었다.

두 번째 올라온 글에는 쏭이 흥분한 게 드러나 있었다.

따라올 테면 따라와 봐!

살짝 긴장했다. 나에게 하는 말처럼 느껴졌다. 하지만 사진을 보고 마음이 확 풀렸다. 맨투맨 티셔츠와 블랙 진 위에 과월호 추리 잡지가 겹쳐져 있었다. 옷도 잡지도 내가 잘 아는 것들이었다.

쏭은 집에 오지 않는 동안 용진이와 함께 쇼핑몰에 가서 옷을 샀다. 당연히 나도 그곳에 갔다. 쏭이 있는 곳에는 나도 있다. 쏭이 옷을 골라 계산을 기다리는 동안, 나도 잽싸게 가서 똑같은 것을 집어 왔다. 쏭이 남성용 코너에 있는 옷들을 샀지만, 나도 성별을 넘나드는 자유로운 패션 감각쯤은 장착하고 있었다.

옷 위에 올려놓은 잡지 타이틀이 '따라올 테면 따라와 봐!'였다. 내일 쏭의 행선지가 성곽 입구에 있는 도서관 잡지 코너라고 예고하는 것이다.

사진 아래에 댓글이 줄줄이 달렸다.

ㄴ기대기대

ㄴ재밌겠다.

ㄴ해치워 버려!

ㄴ후기 기다리는 1인

댓글이 평소와 달리 좀 유난스러웠다. 잡지를 보러 가는데 왜들 이럴까? 나만 모르는 뭔가가 있었다. 이럴 때 같은 학교, 같은 반이 아니라는 게 가장 큰 단점이었다. 용진이에게 물어볼까도 생각했다. 일주일 전 뜬금없이 화해를 요청해 와서 받아 주긴 했지만 용진이가 나의 요구를 들어줄 것 같진 않았다.

아침 8시에 모든 준비를 끝냈다. 당연히 쏭과 함께 산 옷을 입었다. 그사이 살이 쪘는지 바지가 하반신 숨구멍을 모조리 막아 버릴 듯 조였다. 하는 수 없이 단추를 풀고 지퍼가 내려가지 않게 한 후 티셔츠로 푹 덮었다. 그렇게 하니 하체가 짧아 보였다. 신발장을 뒤져 굽이 있는 부츠를 찾아 신었다.

평소 쏭은 문을 여는 시각에 맞추어서 도서관에 갔다. 그러나 오늘은 10시가 넘어서야 집에서 나왔다. 나는 무척 실망했다. 출발이 늦어서가 아니었다. 나를 오래 기다리게 해서도 아니었다. 쏭은 후줄근한 까만색 추리닝을 입고 있었다. 조여 오는 블랙 진이 더 불편해졌다. 아침을 굶은 보람도 없었다.

쏭이 우리 집을 올려다보더니 주위를 두리번거렸다. 나를 잘 볼 수 있도록 벤치에서 일어났다.

흠칫 놀란 쏭이 발을 동동 구르며 휴대폰을 꺼냈다.

"어디야? 빨리 와."

그러곤 다시 103동 안으로 쏙 들어가 버렸다. 나를 본 체도 하지 않아서 또 맘이 상했다. 하지만 이해했다. 나 때문에 지구대까지 갔으니까. 뭉친 마음이 덜 풀어졌을 수 있었다. SNS에서 나를 차단하지 않은 것만으로도 고마웠다.

잠시 후 쏭 앞에 나타난 건 예상했던 용진이가 아니었다. 눌러쓴 야구 모자 아래로 긴 머리를 내어놓은 걸 보면 여자 같은데, 체격이 운동선수처럼 단단해 보였다. 더 놀라운 건 쏭과 같은 추리닝을 입었다는 사실이었다. 빌라를 빠져나오자마자 둘은 약속이나 한 듯 추리닝에 달린 모자를 썼다. 등에 'JJ 스포츠'라는 글자가 드러났다. 쏭이 운동을? 아닐 것이다. 쏭이 스포츠 센터를 다녔다면 내가 모를 리 없었다.

쏭과 여자를 따라갔다. 둘은 서로를 툭툭 치며 장난을 치다가 팔짱을 꼈다. 여자 정체가 궁금해서 미치겠다. 저녁에 가장 먼저 할 일은 쏭 SNS를 뒤져서 여자가 누구인지 알아내는 것이었다.

갑자기 골목에서 나를 부르는 소리가 들렸다.

"지애 누나, 어디 가요?"

용진이었다. 나를 살피더니 쿡 웃었다.

"잘 만났어요. 이거요."

비닐봉지 하나를 덥석 안기더니 또 쿡, 웃었다.

뭐? 왜? 용진이와 봉지를 번갈아 노려보았다. 검정 봉지엔 만화책이 가득 들어 있었다.

쏭이 집으로 돌아오기 일주일 전, 용진이가 먹을 걸 잔뜩 사 들고 집까지 찾아와 누나, 누나 하며 화해를 청했다. 나를 스토커로 신고한 건 고의가 아니라고 했다.

"송주가 이대로는 못 살겠다고, 창문으로 뛰어내리겠다고 소리 지르고 울고 그러잖아요. 난 송주가 그러는 거 처음 봤어요."

괴로워했을 쏭을 생각하니 마음이 아팠다. 나도 미안하다고 했다. 진심이었다.

"누나, 화해 기념으로 이 책 빌려주면 안 돼요?"

용진이가 책꽂이 명당을 차지하고 있는 《그대의 열정팬이기》를 빼어 들었다. 내가 가장 좋아하는 만화책이었다. 용진이는 내 대답도 듣지 않고 스무 권을 몽땅 빼서는 양쪽 옆구리에 꿰고 갔다. 침 한 방울 묻히지 않고 귀하게 다루겠다고 약속했다.

고개를 들었을 땐 용진이 녀석이 저만치에 서서 나를 보고 있었다. 그제야 용진이가 나와 같은 옷을 입고 있는 게 보였다.

"야! 새끼야. 네가 그걸 왜 입고 있어? 나, 이거 못 가져가."

나는 용진이를 쫓아가다가 멈췄다. 돌아보니 쏭은 이미 버스 정류장까지 가 있었다. 용진이 때문에 쏭을 놓쳐 버리게 생겼다. 마침 신호가 바뀐 사거리에서 버스가 줄지어 들어오는 게 보였다. 잠깐 망설였다. 쏭과 같이 버스를 탈까, 돌려받은 책을 용진이에게 도로 맡길까? 두 가지 모두 자존심이 상하는 일이었다. 하지만 같은 옷을 입은 용진이 옆으로 가는 게 더 싫었다.

나는 쏭을 따라 버스에 탔다. 무너지고 있는 자존심을 만화책 스무 권으로 가리고 쏭과 여자가 앞뒤로 앉아 있는 곳을 지나 맨 뒷자리로 갔다. 쏭을 놓치고 종일 불안해하는 것보다는 창피한 게 낫다.

쏭과 여자는 도서관을 그냥 지나쳐서 버스 종점인 성곽 입구에서 내렸다. 둘은 걸었다. 계속 걸었다. 정말이지 성곽 길을 오르내리기만 했다. 길이 구불구불해서 조금만 뒤처져도 쏭이 시야에서 사라졌다. 몸을 조이는 바지에 굽 있는 부츠, 거기다 만화책 스무 권까지. 어느 것 하나 버릴 수 없는 것들이었다. 쏭을 따라온 걸 후회했을 땐 이미 성곽 꼭대기였다. 강 건너 초고층 타워가 깎아 놓은 길쭉한 연필처럼 보였다. 앞머리는 땀에 젖어서 이마에 쩍 달라붙었다.

잃어버린 무릎 담요와 블랙 수첩을 찾지 못했다. 서랍장을 홀라당 까뒤집어 놓아서 엄마랑 사이만 더 나빠졌다. 단풍잎이 빠르게 떨어졌다. 경비 아저씨들은 아침마다 낙엽을 쓸었다. 빌라 화단엔 낙엽으로 속을 채운 배불뚝이 자루가 늘어났다.

성곽 길을 다녀온 다음 날부터 쏭은 완벽하게 예전 생활로 돌아왔다. 평일엔 학교와 학원을 오가고 주말엔 도서관엘 갔다. 우리가 함께 일상으로 돌아왔으니 딱 한 번 본 튼튼한 몸을 가진 여자가 누구인지, 쏭과 같은 추리닝을 입고 있는 이유가 무엇인지 하는 궁금증은 일단 덮어 두기로 했다.

그전과 달라진 것도 있었다. 더 이상 쏭이 나를 따돌리려고 애쓰지 않았다. 아침에 전화를 하지 않아도 학교 가는 쏭을 만날 수 있었다.

아직 나에게 말을 걸지 않았지만 마음이 누그러진 것 같았다. 어쩐 일인지 쏭 옆에 붙어 있던 용진이가 사라졌다. 훼방꾼이 떨어져 나가서 속이 후련했다.

그리고 나는 자꾸만 물건을 잃어버렸다. 비 오는 날 쓰고 간 우산은 교실에서 누군가 바꿔 갔거나 그냥 집어 간 게 확실했다. 파우치와 필통은 같은 날 차례로 사라졌다. 음악실과 강당 수업이 있었는데 어디에서 잃어버린 것인지 짐작이 가지 않았다. 정말 황당한 건 칫솔이었다. 가져가도 써먹지 못할 칫솔이 사물함에서 증발했다. 쓸 만한 것들이 남아 있는 걸 보면 이상하긴 했다. 눈치를 보니 우리 반에서 물건을 잃어버리는 건 나뿐인 것 같았다.

블랙 수첩도 학교에서 잃어버린 거라면 나는 몹시 곤란해진다. 그땐 내가 먼저 엄마에게 이사를 가자고 졸라야 한다. 수첩엔 아무에게도 말하고 싶지 않은, 그동안의 쏭들에 관한 사연들이 마구잡이로 쓰여 있었다.

급식을 먹고 교실로 돌아가는데 뭔가가 눈길을 잡아끌었다. 돌아봐도 얼른 파악이 되지 않았다. 그러다 발견한 게 아이들과 섞여 있는 추리닝이었다. 추리닝에 달린 모자가 등판을 가리고 있었지만 까만 바탕에 노란색으로 쓰여 있는 'JJ'의 꼬리가 보였다.

옷을 입은 아이가 돌아봤다. 그 여자다. 쏭과 함께 성곽 길에 간 여자. 바지는 학교 체육복이었다. 색깔을 보니 같은 1학년이었다. 내가 빤히 쳐다보고 있는 걸 알아차리고 그 아이가 말을 걸어왔다.

"왜?"

나를 알고 있을 텐데, 성곽 길에서 쏭과 함께 나를 물어뜯고 씹었을 텐데, 표정이 무관심 자체였다. 그래도 꼭 물어봐야겠다. 쏭의 일이니까.

“JJ 스포츠가 어디 있어?”

“유진빌라 정류장 사거리에서 초등학교 쪽으로 꺾어서 가다 보면 보여. 운동에 관심 있으면, 와. 아빠한테 말 잘해 줄게.”

나는 쫓기듯 황급히 교실로 돌아왔다. JJ 스포츠는 저 아이 아빠가 하는 스포츠 센터인가 보다. 그럼 쏭과는 무슨 사이지?

뭔가 있다. 나만 모르는 게 있다. 손에 쥐어진 퍼즐 조각으로 어떤 그림을 완성시켜야 할지 모르겠다. 쏭과 관련된, 아니 나와 관련되어 있나? 이상한 일들이 내 주위로 모여드는 것 같았다.

금요일 밤이었다. 여느 날처럼 학원을 마치고 가는 쏭 뒤를 조용히 따랐다. 오늘도 용진이는 보이지 않았다. 같이 지내는 동안 둘 사이가 틀어진 건지도 모른다. 쌤통이다. 고소했다.

밤거리가 낙엽들로 지저분했다. 바람이 바스러진 낙엽들을 길가로 몰아붙였다. 쏭은 친구들 사이에 끼여 왁자하게 돌아가고 있었지만 난 그러지 못했다. 쏭 뒤를 따라가는 내가 나무에서 떨어져서 밟히는 낙엽 부스러기마냥 초라하게 느껴졌다. 잘못하는 걸까? 쏭도 나를 좋아했는데, 언니라고 불러 줬는데, 이젠 아닌 걸까? 쏭과 말해 본 지도 오래되었다. 생각할수록 점점 우울해졌다.

빌라 담이 있는 길로 접어들었다. 쏭도 친구들을 떨어뜨리고 혼자가 되었다. 인기척에 돌아보니 내 뒤로 두 사람이 모자를 푹 덮어쓴 채 걸어오고 있었다. 조용한 골목길에 발소리만 들렸다. 조금 빨리 걸었다. 따라오는 발소리가 빨라졌다. 내가 멈추면 소리도 멈췄다. 그사이 쏭이 더 멀어졌다. 나는 거리를 좁히려고 뛰었다. 뒤에서도 뛰어왔다. 다시 돌아보았다. 가로등 불빛이 비껴간 곳에 검은 그림자만 두 개. 수상쩍게도 우산을 펴 들었다. 맑은 날 밤에.

앞서가는 쏭이 길을 꺾어 들어가려고 했다. 쏭이 가고 나면 이 길엔 나만 남는다. 쏭이 눈앞에서 사라지기 전에 소리를 질러야 했다, 쏭을 불러야 했다.

그때 뒤에서 큰 소리가 났다.

"박송주, 같이 가."

너무 놀라서 담벼락에 붙었다. 하필 가로등 밑이었다.

쏭은 기다렸다는 듯 성큼성큼 되돌아왔다. 뻣뻣하고 어색한 걸음이었다. 쏭과 두 명이 나를 사이에 두고 거리를 좁혔다. 가로등 밑까지 온 둘은 아는 얼굴이었다. 용진이와 바로 그 JJ 스포츠였다.

"어? 언니 웬일이야?"

조금도 알은체를 하지 않던 쏭이 갑자기 친근하게 구는 게 의아했다. 학원에서부터 따라오는 나를 봤으면서 전혀 몰랐다는 듯한 말투는 비아냥대는 것으로밖에 들리지 않았다.

"응, 줄 게 있어서."

JJ 스포츠가 답을 해서 또 한 번 놀랐다. 쏭이 부른 언니는 내가 아니었다. 어째 갑자기 반말을 하는 게 이상하더라니.

셋은 이러쿵저러쿵 말을 주고받으며 앞서갔다. 아무도 나에게 말을 걸지 않았다. 환한 가로등 아래에 있는 나를 끝까지 유령 취급했다.

더 우울해져서 터덜터덜 집으로 돌아왔다.

새벽 3시. 많이 늦은 시각이었다. SNS 알림음이 연이어 울렸다. 눈꺼풀이 퉁퉁 부어 눈이 떠지지 않았다.

처음 사진은 알아보지 못했다. 까만 배경에 까만 물체. 두 번째 사진에서 너무도 익숙한 필체를 보았다. 나는 벌떡 일어나 불을 켰다.

블랙 수첩이 환한 조명 아래에 펼쳐져 있었다.

사진이 연달아 올라왔다.

무릎 담요, 칫솔, 파우치, 필통, 그리고 우산.

쏭 SNS에 내가 잃어버린 물건이 찍힌 사진이 업로드되었다. 놀란 건 잠깐뿐이었다. 덜컥 겁이 났다. 그리고 기억났다. 어젯밤 뒤따라오던 용진이와 JJ 스포츠가 사진 속 우산을 쓰고 있었다.

마지막 사진엔 숫자가 적힌 상자가 보였다. '107203', 우리 집 주소였다.

택배 왔음.

입을 막았다. 소름이 돋았다.

나는 소리를 죽여 가며 현관문 렌즈 구멍으로 밖을 내다보았다. 텅 비어 있는 밖이 환했다. 복도의 등이 켜져 있다는 건 방금까지 누군가 있었다는 뜻이었다. 문을 열 엄두가 나지 않았다. 기다렸다. 동작 감지등이 꺼졌다. 조금 더 기다렸다. 사방이 조용했다.

조심스럽게 문을 열었다. 다시 감지등이 켜졌다. 계단 끄트머리에 상자와 누워 있는 우산이 보였다. 봉하지 않은 상자엔 그동안 내가 잃어버린 물건이 담겨 있었다. 모든 것이 그대로였지만 더 이상 내 손에 있었을 때와는 같은 것일 수 없었다. 블랙 수첩은 도저히 펼쳐 볼 엄두가 나지 않았다.

순간 빛이 꺼졌다. 아무도, 아무것도 보이지 않았다. 계단 창밖으로 보이는 가로등 불빛만 지이잉, 꼭 한 번 깜빡였다.

잊지 마, 조심해.

나에게 충고를 했다.

※《내일을 여는 작가》 2017 상반기 70호 수록

한 소리가 있어

언니와 함께 쓰던 침대에서 맘껏 활개를 쳤다. 둘이었을 땐 조금이라도 자리를 더 차지하려고 서로의 베개를 밀어내는 신경전을 벌였는데, 이젠 혼자서 이불을 감고 구를 수도 있었다. 덕분에 잠은 점점 더 멀어졌다. 달아난 잠을 불러들이는 최고의 방법은 체육 시간에 배운 송장 자세로 있는 것이다.

똑바로 누워서 나를 둘러싼 공기가 묽어지기를 기다린다. 그러다 보면 중력이 사라지고 시간과 공간의 경계가 뭉개진다. 그 속으로 몸이 서서히 가라앉는 느낌이 든다면 반은 성공이다. 중요한 건 이불 안을 기웃대는 잠을 끝까지 모른 척해야 한다는 거다. 내게 오는 잠은 경계심 많은 짐승처럼 반가운 기색만 보여도 달아나고 만다.

오늘은 그 찰나의 순간에 소리가 찾아왔다. 타박타박 발소리와 함께 희미한 흥얼거림이 섞여 들었다. 잔잔하게 계속 이어졌고, 집요하지만 사나워지지는 않았다. 이번 것은 맘에 들었다. 예전 것보다 낫다는 거지, 좋다는 건 아니다. 그동안 나에게 찾아온 소리들은 대부분

악다구니와 울음이었다.

처음 소리가 찾아왔을 때 나는 6학년이었다. 집에 혼자 있었다. 언니의 교복을 몰래 입어 보고, 할머니 방과 안방을 괜스레 들여다보았다. 아무도 없는 게 좋았고 그래서 뭐든 할 수 있을 것만 같았다. 동영상을 보며 김치볶음밥을 만들었다. 계란 깨뜨리기를 두 번이나 실패한 후에야 프라이팬 안에 흰자와 노른자를 온전히 넣을 수 있었다. 그때 갑작스러운 소리가 났다. '야' 혹은 '악', 그것도 아니면 '너'였다. 소리는 단호했고, 거칠었고, 무엇보다 익숙했다. 이름을 부르지 않았지만 나에게 하는 말이라는 걸 알 수 있었다.

아무도 돌아오지 않은 걸 알면서도 열 수 있는 문들을 죄다 열어 보고 현관까지 확인했다. 그사이 계란프라이는 까맣게 타서 연기를 피워 냈다. 그제야 벌여 놓은 것들이 눈에 들어왔다. 김치볶음밥 재료들이 튀고 뭉개져서 싱크대와 바닥이 엉망이었다. 그것들을 치우는 내내 소리가 내 주위를 떠돌았다. 좋았던 혼자만의 시간이 불안하게 끝이 났다.

방금 들은 발소리는 아빠의 것이 아니었다. 흥얼거림도 당연했다. 집에서 아빠는 화를 내지, 노래를 흥얼댈 사람이 아니었다. 그런데 아빠가 요즘 들어 이상했다. 아침부터 거실에다 철사 꾸러미를 잔뜩 부려 놓고 뭔가를 만들고 있었는데, 저녁까지 그 모습 그대로인 게 여러 날째였다. 출근을 하든 말든, 안경까지 쓰고 철사만 만지는 아빠를 나는 모른 척했다. 아빠도 나에게 관심이 없었다. 내게 필요한 것들은 엄마가 택배나 배달로 해결해 주었다. 평소에도 다정다감한 것과는 거리가 멀었지만 언니가 집을 나가고부터는 둘 다 말이 더 줄었다. 하지만 몇 날 며칠 말 한마디 없던 아빠가 뜬금없이 고함을 질러도 이상할 게 없었다. "최유경, 인사 안 해?" 아빠는 터져 나오는 감정을 냅다 던지고 나면, 상대가 갑자기 날아든 것에 다치든 말든 그만인 사람이니까.

얼마 전까지 집에 어른들이 더 있었다. 할머니가 살아 있고, 엄마가 지방으로 발령이 나지 않았을 때였다. 그때 가족들 사이에는 분노가 전염병처럼 돌았다. 할머니가 아빠와, 아빠가 엄마와, 엄마가 언니와, 언니는 다시 아빠와. 나를 제외한 모두가 누군가와 늘, 정말이지 매일 싸웠다.

싸움의 후유증은 나에게 쏟아졌다. 할머니는 내가 있는 것만으로도 화가 뻗치는 듯했고, 아빠와 엄마는 늦게까지 안 자는 것, 방이 지저분한 것, 오래 씻는 것 같은, 아무것도 아닌 걸로 나에게 분통을 터뜨렸다. 가끔은 언니가 그들에게 "유경이 좀 내버려 둬!"라고 버럭 소리를 질렀다. 그러니까 언니 싸움의 절반은 나를 대신한 것이었다.

어쩌다가 큰소리 한 번 없이 조용히 지나가는 날도 있었다. 소리들은 그런 밤들을 잘도 알아차렸다. 구석진 틈 사이에 먼지처럼 얌전히 뭉쳐 있다가 한숨이나 잠을 청하는 이불 풀썩임 같은 것을 신호로 깨어났다. 그것들은 언제나 나에게 와락 달려들었다. 이를테면 짧고 날카롭게 "유경아!", "몇 번을 말해!", "아, 지겨워." 같은 것들이었다. 내가 돌아눕고 다시 돌아누우며 외면할수록 소리들은 더 소란스러워졌고, 소리에 밀린 잠은 새벽 청소차가 오는 시각까지 달아났다.

오늘은 노랫소리였다. 잔잔하고 부드러운 허밍이 길게 이어졌다.

미이솔솔 미이레도 레에미소올미레, 또옹땅당 도오도동 또오로로오로롱, 으음음음 음음음.

소리는 조금씩 선명해지고 가까워지는 듯했다. 발소리까지 들리는 것을 보면 밖에서 나는 게 분명했다. 기대에 차서 창문을 열었다.

막다른 골목 끝집은 아빠가 어릴 적부터 살던 집이다. 오래된 다세대 주택 2층 방에서는 좁다란 골목이 한눈에 내려다보인다. 닮았지만 조금씩 다른 대문과 담이 이어져 있고, 크고 작은 쓰레기봉투들이 가로등 주위에 널브러져 있다. 골목 풍경은 난이도 높은 틀린 그림 찾기처럼 매일이 똑같았다.

불이 켜진 혹은 꺼진 집들의 창문에 눈길을 주었다.

"너니? 아님 너?"

불 꺼진 창들은 소리 따윈 모른다는 듯 시치미를 뗴었다. 소리는 창문을 열었을 때 이미 숨어 버려서 꼬리조차 잡지 못했다. 잠은 소리를 따라간 듯 멀어졌다.

다음 날, 4교시 내내 졸다가 점심시간이 되자마자 책상에 꼬꾸라졌다. 와글거리는 아이들 소음은 수면용 ASMR이 되었다. 분명 곤하게 잠에 빠져들었는데 갑자기 사방이 조용진 걸 깨달았다. 이어서 한 소리가 들렸다. 밥 안 먹냐는 뚱한 짝꿍 목소리도, 5교시 시작을 알리는 종소리도 아니었다. 지난밤에 들었던 그것이었다.

정작 내 잠을 싹 달아나게 한 건 귀에 달라붙는 멜로디가 아니라 덮치는 듯한 감각들이었다. 차가운 창틀에 눌리는 팔, 골목 냄새 섞인 밤바람, 연무 속 흐릿한 골목 불빛. 지난밤에 보고 듣고 느꼈던 것들이 생생하게 살아났다. 눈을 뜨고 벌떡 일어났다. 그제야 진공에서 풀려난 것처럼 왁자한 교실 소음이 한꺼번에 몰아쳤다.

복도로 나가서 급식 냄새를 풍기며 지나가는 아이들을 보니 정신이 들었다. 운동장을 서성대는 동안에도 소리가 주위를 맴돌았다. 도리질을 치다가 보건실로 들어갔다. 소리에 대해 말하려는 게 아니었는데 어쩌다 보니 그렇게 되었다.

보건 선생님은 이명이라고 했다가 환청인 것 같다고 했다. 그러니까 실제로 나는 소리가 아니라는 것이다.

"정말이에요, 확실히 들었는데……."

선생님은 체온을 재고 귀 양쪽에다 번갈아 불빛을 비췄다.

"노랫소리가 밤에, 그것도 집에서 들렸는데 오늘은 시끄러운 교실에서 들렸다는 거잖아. 아는 노래니?"

잘 아는 노래다. 손가락을 까딱이며 멜로디를 읊조렸다.

"〈신세계 교향곡〉?"

"아!"

단번에 곡을 알아맞힌 선생님이 놀라웠다.

선생님은 기쁜 표정을 감춘 내 양손을 얼굴에서 끌어내려서 맞잡았다. 지금 필요한 건 두통약이 아니라고 했다. 되도록 빨리 부모님과 병원에 가는 게 좋겠다고 했다.

"3학년이네. 몇 반이지?"

학년을 알아본 선생님이 볼펜을 들었다.

나는 고개를 절레절레 흔들며 양호실을 나왔다. 선생님이 불렀지만 뒤도 안 돌아보고 계단을 두 개씩 올랐다.

언니는 초등학교 2학년 때쯤 피아노를 배우러 다녔다. 매일 나를 데리고 학원에 갔다. 아마도 부모님이 그렇게 하라고 시켰을 것이다. 언니가 레슨을 받을 동안에 나는 신발장 옆에 있는 의자에서 기다렸다가, 레슨이 끝나면 언니와 나란히 피아노 앞에 앉았다. 피아노 의자는 둘이 앉고도 남을 만큼 길었다.

언니는 숙제로 내준 악보를 한 번 칠 때마다 선생님이 악보 밑에 그려 준 빈 동그라미 한 개씩을 칠했다. 《피아노 첫걸음》 책에 있는 〈드보르작 신세계〉는 나도 언니 손가락을 쫓아서 건반을 눌러 보았다. 언니는 곡의 계이름을 다 알면서도 뒷부분을 '또옹땅땅'으로 말해서 나를 웃겼다.

얼마 전 음악 수행 평가 시간에 그 곡 전체를 듣게 되었다. 4악장까지 있는 〈신세계 교향곡〉이었는데, 언니가 쳤던 단순한 곡이 아니었다. 짧은 한 대목의 멜로디만 따서 피아노 초보자를 위한 연습곡으로 썼다는 걸 뒤늦게 알았다.

교실은 시끄러웠고 내 책상 주변에서 아이들이 모여 과자를 먹고 있었다. 비집고 들어가는 나에게 자리를 내어주긴 했지만 그들은 침이 튈 듯이 떠들어 댔다.

나는 아이들에게 가 달라고 했다.

"왜 저래, 예민하게."

"아주 지랄을 떨어요."

거친 말들이 과자 부스러기에 섞여 떨어졌다. 엎드려 있던 나는 머리를 들어 힘껏 털었다. 아이들이 조금 물러났지만 나를 향한 눈길은 더 따가워졌다.

예민하다는 말이 싫었다. 예민하지 않으니까. 언니처럼, 까다롭게 굴지도 조목조목 따져 가며 원하는 것을 고르지도 않았다. 그저 보이는 것들이 제자리에 있기를, 나도 있고 싶은 곳에 있을 수 있게 내버려 두기를, 그래서 주위가 잠잠하기를 바랄 뿐이었다.

언니는 뭐든 확실하게 표현했다. 기어이 자신이 하고 싶은 대로 했다. 그래서 사사건건 아빠와 부딪쳤다. 아빠도 언니에게 요구하는 게 많았다. 아빠에게 첫째 딸은 얌전하고, 단정하고, 성적이 좋아야 했다. 친구들을 가려서 사귀어야 했고, 학교를 마치고 잠깐 노는 것도 허락을 받아야 했다. 대학과 학과도 집에서 가까운, 아빠가 원하는 곳이어야 했다. 하지만 언니는 간섭에서 벗어나 자유롭고 싶어 했다.

언니는 수능 시험을 망쳤다. 아무래도 답을 밀려서 쓴 것 같다는 말에 모두가 언니 눈치를 봤다. 그런데 자려고 누웠을 때 언니가 혼잣말을 했다.

"대학도 집에서 다닐 거면 재수 학원이 백배 나아."

언니는 일부러 시험을 망쳤다. 기숙사가 있는 재수 학원으로 도망치려는 것이었다. 하지만 재수 생활도 언니 뜻대로 되지 않았다. 집 가까이에 있는 학원을 다니는 둥 마는 둥 하다가 방에 틀어박혔다. 편의점 심부름과 휴대폰 수리와 심지어 병원 진료까지 나를 시켰다. 내 이름으로 처방받아 온 감기약을 언니가 먹었다. 언니는 밥도 방으로 가져와서 혼자 먹었다. 그래서 아빠와 더 싸웠다. 아빠에게 맞았다.

이따금씩 언니는 나에게 우는 걸 들켰다. 이미 들켰으면서, 집에 나 말고는 언니의 울음을 들을 사람이 없는데도, 이불을 덮어쓰고 꺼억꺼억 소리를 삼키려고 애썼다. 그럴 때면 나는 집에서 나왔다. 자리를 비켜 주는 척하며 밖에서 혼자 울었다. 솟구치려는 언니와 억누르려는 아빠를 지켜보는 것만으로도 나는 충분히 무섭고 힘들었다.

아빠가 나에게는 손을 댄 적이 없다. 나는 아빠가 시키는 대로 하니까. 일찍 오라면 일찍 오고, 청소하라면 청소하고, 자라고 불을 꺼 버리면 잔다. 아니 자는 시늉이라도 한다. 집에서 나는 '네.'와 '알았어요.'로만 답을 하는, 없는 듯 있어 주는 딱 그만큼의 존재였다. 아빠가 나에게 요구하는 것 또한 그것뿐이었다. 나의 공부나 친구나 뭐 그딴 것에 신경을 안 써 줘서 오히려 다행이었다.

엄마는 언니의 고등학교 졸업에 맞춰서 지방 근무를 신청했다. 지방 근무는 한 번씩 거쳐야 하는, 그래야만 정년까지 회사를 다닐 수 있는 필수 코스라고 했다. 한 해 전 할머니가 돌아가셨기 때문에 이제야 지방으로 내려가는 것이었다. 2년 후에 돌아오면 승진이 보장되어 있다고 했다. 그래서 엄마는 한 달에 두 번 집에 왔다. 가끔은 너무 바쁜 엄마 대신 즉석식품이 배달되어 올 때도 있었다.

이 모든 날 동안 나는 조용히 언니 옆에 붙어 있었다. 집에만 오면 기분이 거지 같다며 까칠하게 구는 언니가 나에게만은 화를 내지 않았다. 어릴 적 피아노 학원을 갈 때 내 손을 잡아 준 것만큼은 아니지만, 더 이상 나를 대신해서 싸우는 일도 없지만, 그래도 나에게 마음을 썼다. 심부름을 하고 나면 거스름돈을 주거나 휴대폰으로 기프티콘을 보내 주었다. 그때까지는 나를 생각해 주었다. 내가 원하는 것은 한 가지밖에 없었다. 언니마저 가 버리지 않기를. 혼자만 남겨지지 않기를. 하지만 결국 그날이 왔다.

그날, 계단을 올라올 때부터 언니와 아빠의 고성이 들렸다. 내가 문을 열자 주저앉아 있던 언니가 벌떡 일어나서 슬리퍼를 손에 들고 밖으로 뛰쳐나갔다. 아빠가 따라 나가기도 전에 언니는 계단을, 그리고 골목을 벗어났다. 아빠는 계단참에서 소리를 질렀다.

"어딜……, 당장……, 못 들어오는 줄 알아!"

그게 여름이 시작되기 전이었다. 그날 이후, 언니와 아빠가 뱉은 말의 파편들이 한동안 내 잠을 밀어냈다.

오늘은 소리를 기다리지 않고 창문을 열었다. 창틀에 베개를 놓고 턱을 괴었다. 밤이 촘촘히 박힌 골목을 한참이나 내려다봐도 인기척이 없었다. 골목 양쪽으로 대문이 이렇게나 많은데, 어째서 골목으로 들어오는 사람이 없을까? 나가는 사람이 있으면 돌아오는 사람도 있어야 하는 게 아닌가. 할머니는 영영 떠났고, 엄마와 언니도 나갔다. 나갔던 길을 꼬박꼬박 되밟아 오는 건 나뿐인 것 같았다. 하찮고 겁 많은 얼뜨기만 다시 돌아오는 이곳. 그래도 오늘 밤엔 쓰레기봉투에 관심 많은 길고양이가 꽤 오랫동안 머물렀다. 봉투를 죄다 뜯어 놓은 고양이마저 유유히 골목을 빠져나가는 것을 보고 현실로 돌아왔다. 새로운 것을 찾아 떠나는 고양이의 걸음이 부러웠다. 하찮지 않고 어수룩하지 않으려면 용기가 필요했다. 골목만 벗어나면 용기가 기다리고 있을지도 모른다.

“유유히, 유유히, 돌아오지 않으면 그만이지. 나라고 못할 것 없지.”

다짐 같은 말을 해도 무른 마음에 스민 두려움이 사라지지 않았다. 손톱을 물어뜯었다. 골목 밖으로 어디까지 가 봤는지 되짚어 봤다.

몇 해 전 중학생이었던 언니와 멀리까지 간 적이 있었다. 버스에서 지하철로 갈아타고도 또 다른 지하철 노선으로 갈아탈 만큼 멀었다. 아마도 아빠가 며칠 동안 집을 비울 때였고, 우리는 겨울 방학 중이었을 것이다. 처음으로 둘이서만 영화를 보고, 재료를 골라서 즉석에서 끓여 먹는 마라탕을 먹고, 쇼핑몰을 돌아다녔다.

언니는 넓고 복잡한 쇼핑몰에 어떤 가게가 있는지, 어디로 가야 하는지 잘 알고 있었다. 언제 이렇게 멀리까지 와서 미로같이 얽힌 길들을 다 익혔는지 신기했다. 언니는 두 달이나 남은 내 생일을 미리 기념하자며 생일 모자와 머리띠와 케이크 모형들을 빌려서 함께 네 컷 사진을 찍었다. 그날 우리는 간발의 차이로 엄마보다 일찍 집에 돌아왔다. 방으로 들어오자마자 들리는 현관문 소리에 외투도 벗지 못하고 이불을 뒤집어쓰고 낄낄거렸다. 나에겐 꿈같은 하루였다.

혼자서는 버스나 지하철을 한 시간 이상 타 본 적이 없었다. 심지어이 집에서 나고 자라서 다른 동네에는 살아 보지도 못했다. 석 달만 지나면 방학이었다. 중학교 졸업생에게 겨울 방학은 다른 때보다 더 길었다. 긴 시간 아빠와 한 공간에 있을 걸 생각하면 벌써부터 숨이 막혔다. 아빠가 출근을 하지 않는다면 더더욱 그럴 것이다. 돈이 필요했다. 집을 나가는 것보다 아르바이트가 먼저였다. 골똘한 생각에 손가락이 다시 입으로 갔다. 기어이 왼손 검지에서 피를 보고 말았다.

일주일이나 주저하고 망설이다가 행동에 옮겼지만 아르바이트를 구하는 건 쉽지 않았다. 중3이라고 솔직하게 말했다가 거절당했다. 고1이라고 하니까 보호자 동의서를 받아 오라고 했다. 같은 말을 열 번쯤 듣고 나서야 보호자가 없다고 거짓말을 했다. 하지만 가게 주인의 시선이 내 얼굴에 조금 더 머물 뿐 대답은 같았다.

"학교 선생님 사인이라도 받아 와."

서른 번쯤 거절당하고 나서야 안 되는 걸 알았다. 그만큼 시도를 한 것만으로도 나로서는 굉장한 용기였다.

"덩치가 큰 것도 아니고, 경험도 없고, 나이가 있어 보이지도 않고, 튼튼해 보이지도 않는데 누가 써 주겠어?"

마지막으로 가 본 식당의 사장님이 나를 퇴짜 놓으며 한 최종 평가였다.

'소소한 고기집'을 나오며 아르바이트 구하는 걸 포기했다. 가게 옆 주차장을 지나는데 조금 전 안에서 본 나이 많은 아저씨가 나를 불렀다.

"강아지 좋아해?"

아이들을 보면 괜히 말을 거는 어른들이 있다. 아저씨도 그저 아는 척이 하고 싶은 거라고 생각했다. 그런데 숯이 담긴 포대 옆 상자에 정말로 강아지 두 마리가 있었다.

"한 달 됐어. 하나 가져."

나는 고개를 저었다. 강아지나 고양이, 그딴 거 좋아하지 않는다. 살아 꿈틀대는 건 다 싫다. 심지어 사람도 싫다. 그러니까 아저씨도 말을 안 걸었으면 좋겠다.

"여섯 마리에서 요거 남았어. 키워 보면 재미가 좋아. 사람들이 내 새끼, 내 새끼 하며 방 안으로 들이는 이유가 있어."

꾸벅 고개를 숙이고 버스 정류장으로 갔다. 햇살이 사그라진 자리에 가게 불빛들이 들어찼다. 횡단보도까지 건넜는데 걸음이 점점 느려졌다. 가게 뒷마당에 있던 상자가 자꾸만 떠올랐다.

강아지 두 마리는 상자 구석에서 서로 몸을 맞대고 있었다. 여섯이서 엉키고 포개져서 체온을 나누다가 떠나고 또 떠나서 둘만 남았다. 남겨진 것이다. 한 마리는 데려갈 사람이 있다고 했다. 마지막까지 남게 될 강아지는 넓은 상자가 온통 제 차지라며 활개를 칠까? 혼자서 얼마나 오래 있게 될까……. 나갔던 형제자매가 다시 오려나, 하고 상자 밖 세상에 귀를 기울일까? 기다림이 간절함이 될 때까지도 혼자일까?

타야 할 버스가 몇 차례 왔다 가고, 사람들이 타고 내리는 것을 보다가 결심이 섰다. 언니는 강아지를 좋아했다. 길에서 개를 만나면 그냥 지나치지 못했다. 다가가고 말을 걸고 가능하면 쓰다듬어 주었다. 언니가 내가 아닌 강아지를 보러 와도 좋을 것 같다.

고깃집 주차장으로 되돌아갔다. 불을 피울 준비를 하는 아저씨에게 강아지를 달라고 했다. 아저씨는 주방 이모보다 먼저 고를 기회를 주겠다고 했다.

"대신 반납은 없어."

강아지 두 마리는 쌍둥이처럼 닮았다. 등에서 왼쪽 엉덩이로 이어지는 길쭉한 까만 점까지 똑같았다. 체구가 더 작은 아이를 데려가기로 했다.

강아지를 만지지도 못하는 나를 보더니 아저씨가 혀를 끌끌 찼다. 아저씨 마음이 바뀔까 봐 나는 당차게 말했다.

"언니가 강아지 좋아해요. 꼭 데리고 오랬어요."

아저씨는 신문지를 깐 상자에다 강아지를 옮기고, 비닐봉지에 사료를 덜었다. 사료는 한동안 물에 불려서 먹이라고 알려 주었다.

"아기랑 똑같아. 먹이고 놀아 주고 씻겨 주면 잘 크고 잘 따를 거야."

아저씨는 다시 가져오면 안 된다고 몇 번이나 강조했다.

상자를 들고 버스에 탈 용기가 없어서 다섯 정거장을 걸었다. 강아지가 꿈틀댈 때마다 상자를 잡은 손이 오그라들었다. 몇 번이나 길가에다 상자를 내려놓았다가 다시 들어야 했다. 다행히 강아지는 상자 안에서 발버둥을 치거나 오줌을 싸지는 않았다.

현관문을 살짝만 열었다. 화장실에서 물소리가 났다. 나는 재빨리 방으로 들어갔다. 상자 뚜껑을 열었을 때 아빠가 불렀다.

"연락 안 왔어?"

"네."

방을 나와 재빨리 문을 닫았다. 강아지를 데려온 걸 끝까지 숨길 수는 없겠지만, 아빠가 되도록 늦게 아는 게 낫다.

“전화해 봐. 친구든 학원 선생님이든, 다시 해 봐.”

아빠가 하면 될 것을, 언니가 집을 나간 게 내 탓인 양 언니의 행방을 찾는 것을 내 몫으로 돌렸다. 나는 아빠 앞에서 몇 군데 전화를 하고 문자를 보냈다. 벌써 여러 번 연락을 취했던 사람들이었다.

언니가 집을 나가고 나서 아빠는 방을 홀딱 뒤집어 놓았다. 당신이 알지 못한 언니의 비밀을 찾으려고 문제집부터 계절이 지난 옷 주머니까지 뒤졌지만 아무것도 알아내지 못했다. 그러곤 언니의 옷과 물건을 상자에 넣어 할머니가 쓰던 방으로 옮겨 놓았다. 몰래 와서 가져가지 못하게 하려는 것이었다. 아빠는 언니가 돌아오는 것에 도움이 되지 않는 일들만 했다.

방 안에서 소리가 나자 아빠가 째깍 방문을 열었다. 강아지가 상자 벽을 긁으며 끔지락댔다.

“언니가 좋아해요. 돌아올지도 몰라요.”

목소리가 기어 들어갔다.

“어떻게 알아?”

“저번에 그랬어요. 강아지 키우고 싶다고.”

굳어진 표정과는 달리 아빠가 순순히 고개를 끄떡였다.

“보일러실에 둬.”

내 방과 할머니 방 사이의 좁고 기다란 공간이 창고 겸 보일러실이었다. 그곳엔 훌라후프만큼 크고 둥글게 말린 철사 더미들이 굵기별로 세워져 있었다. 고무장갑을 끼고 강아지를 들어 올렸다. 큰 택배 상자로 옮겼다가 벽이 너무 높은 것 같아서 아저씨가 준 것에 다시 넣었다. 보일러실에 상자를 두고 사진과 동영상을 찍어서 언니에게 보냈다.

_이름 지어 줘.

이틀 만에 강아지는 상자를 벗어나서 문을 긁어 댔다. 아빠는 지나다가 한 번씩 보일러실 문을 툭 찼다. 그러면 강아지가 '앙!' 하고 여린 비명을 질렀다. 하지만 며칠 만에 '조용!' 하는 아빠 목소리만으로도 긁는 것을 멈췄다.

인터넷에서 본 대로 강아지 전용 우유를 사서 사료를 불려서 먹였다. 배변 연습도 해 보았지만 잘되지 않았다. 계속 고무장갑을 끼고 강아지를 돌볼 수는 없었다. 맨손으로 씻기는 것은 엄청난 도전이었다. 강아지를 들어 올리면 얇은 피부와 속에 있는 뼈들, 그리고 심장 박동이 양손에 고스란히 느껴졌다. 낯선 따스함과 이물감에 후다닥 놓치기를 몇 번, 그때마다 강아지는 바닥으로 떨어졌다.

날이 갈수록 강아지는 보일러실을 답답해했다. 문을 긁는 소리가 조금 세졌고 아빠도 난폭하게 반응했다. 가끔은 강아지가 철사 더미 사이로 들어가 아빠를 더 화나게 했다. 어쩌다 거실에 꺼내 놓으면 아빠가 강아지를 훈련시켰다. 그럴 때면 아빠도 강아지에게 정을 붙일 수 있을지도 모른다는 기대감이 생겼다. 절대 그럴 사람이 아닌데 말이다.

아빠가 간식을 들고 이래라저래라 훈련을 했지만 강아지는 간식만 쳐다보거나 겁먹은 표정을 지었다. 그러다 아빠 발에 훅 밀려나면 구석으로 숨어들었다. 못생겼다, 혈통 없다, 똑똑지 못해 훈련도 안 먹힌다, 하는 구박을 알아들은 듯이 아빠만 보면 슬금슬금 피했다. 아빠는 그것마저 불만이었다.

어느 아침, 평소보다 늦게 일어났다. 대충 세수만 하고 머리를 묶고 뛰어나갔다. 필통과 이어폰을 두고 왔지만 나오기 전에 강아지에게 사료와 물을 챙겨 주었다.

골목을 빠져나와서 숨을 돌리고 나자 마음과 달리 몸이 움직여 주지 않았다. 뛰어가면 지각은 하지 않을 텐데, 머리가 울리고 다리가 무겁게 질질 끌렸다. 학교에서도 종일 멍한 채로 지냈다. 결국 5교시에 양호실로 갔다. 담임 선생님은 집으로 가라고 했지만 나는 양호실이 더 편했다. 약을 먹은 뒤 이불 두 개를 덮고 몽롱한 채로 있는데, 지난밤에 찾아온 소리가 기억났다.

이번 것은 이질적이고도 생경했다. 가시 돋친 말이나 골목에서 올라오는 소리와 달랐다. 끙끙 앓는 것도 그르렁대는 것도 아닌 몹시도 불편한 마찰음이었다. 한여름에도 꼭꼭 닫아 두는 방문이 밤중에 빼끔히 열려 있는 걸 보면 꿈을 꾼 것일 수도 있었다. 방으로 들어오는 불빛은 거실이 아닌 더 멀리에서 오는 것이었지만, 기척은 가까운 할머니 방 앞에서 들렸다.

어둠을 가만히 응시하자 사물들이 보였다. 시커먼 실루엣이 웅크리고 있었다. 혼자가 아니었다. 손으로 작은 것을 움켜쥐고 다리로 몸통을 누르고 있는 그는 어쩐지 즐거워 보였다. 억눌린 신음 사이로 사람 웃음이 섞여 들었다. 작은 것이 버둥거리자 그의 팔에 또 한 번 힘이 들어갔다.

나는 눈을 질끈 감았다. 숨이 막혔다. 작은 것을 대신해서 힘껏 비명을 지르고 싶었다. 아프다고, 싫다고, 꺼지라고, 밀어내고 싶었다. 어쩌면 정말 그랬는지도 모르겠다. 눈을 뜨니 사람이 눈앞에 와 있었다. 그리고 강아지가 나에게 와락 달려들었다. 나는 숨을 뱉지 못하고 꺽, 꺽, 들이마셨다.

“유경아, 유경아, 눈 떠 봐.”

양호 선생님이 나를 흔들었다. 선생님이 뭔가를 물었지만 알아들을 수 없었다. 물을 벌컥벌컥 들이켰다가 도로 토해 냈다.

집으로 돌아와서 강아지를 방으로 데려왔다. 어제는 보지 못한 다리의 상처를 발견했다. 내가 쓰던 연고를 바르고 붕대를 감아 주었다. 침대에 올라오고 싶어 했지만 그건 도저히 들어줄 수 없었다. 대신 더 큰 상자를 가져와서 담요를 깔고 인형을 넣어 주었다. 인형이 강아지보다 컸다.

불을 끄고 누웠는데 방문 쪽으로 신경이 곤두섰다. 강아지도 자꾸만 끙끙거렸다. 상자를 책상 밑으로 옮기고 의자로 막았다. 그곳이 방문과 가장 멀었다.

붕대를 감은 강아지 사진 때문인지 언니가 돌아왔다. 현관문을 두드리는 소리에 열어 보니 언니가 양쪽 손목에 비닐봉지를 매달고 커다란 봉지까지 품에 안고 서 있었다. 두 달하고도 열흘 만이었지만 오전에 나가서 장을 봐 온 것마냥 아무렇지도 않게 신발을 벗었다.

"용구야~."

언니가 솔 음으로 처음 듣는 이름을 불렀다. 안방에서 기척이 들렸다. 방으로 들어간 언니를 따라가서 얼른 방문을 닫았다.

"어휴, 우리 용구 실물이 더 예쁘당!"

갑자기 용구가 된 강아지는 언니 발치에서 코를 킁킁거리며 슬쩍슬쩍 꼬리를 흔들었다.

"무슨 이름이 그래?"

"용구가 어때서. 내 남친 이름이야."

"얘, 암컷이야."

"뭐 어때?"

언니는 용구를 달랑 들어 품에 안고 아기처럼 얼렀다.

아빠가 벌컥 문을 열었다.

"개새끼 내려놔!"

"용구 때리면 동물 학대로 신고할 거야."

툭 던지는 가벼운 언니 말투에 '신고'가 흔히 있는 일상인 것처럼 들렸다.

"아빠를 협박하는 거야? 어디서 뭘 하다가 와서는……."

언니는 아빠 말을 무시하고 비닐봉지에서 물건들을 꺼냈다. 사료와 밥그릇, 간식과 장난감, 옷과 목줄 같은 것들이었다. 가장 큰 봉지에서 이동장이 나왔다. 아빠가 돈이 어디서 났냐는 것에서부터 옷차림과 빨갛게 염색한 머리까지 집요하게 지적을 해도 언니는 무심하게 굴었다. 삿대질을 멈춘 아빠가 주먹을 쥐었다 펴기를 반복했다. 폭발할지 참을지를 정하지 못한 것 같았다. 몇 번의 말다툼이 오갔지만 그것으로 끝이었다. 언니가 단단해져서 돌아왔다. 그건 더 강한 충돌을 예견하는 것과 같았다.

언니는 용구를 씻기고 닦이고 말려서 침대에 올려놓았다. 나는 바닥에다 이불을 깔았다. 당장이라도 아빠가 언니에게 고함을 칠 것만 같았다. 언니와 아빠 사이에 놓인 내 신경 줄이 팽팽하게 되살아났다. 언제 요동칠지 모르는 외줄에 나는 다시 세워졌다.

스무 번에 스무 배는 더 뒤척여도 오늘은 소리가 찾아오지 않았다. 창문을 조금 열어 머리만 간신히 내밀고 기다렸다. 얼굴이 차가워질 때까지 버텼지만 익숙한 소리도 낯선 소리도 오지 않은 게 확실했다. 나는 언니가 했던 말을 따라 해 보았다.

"신고할 거야, 신고할 거야."

아빠 표현대로 버르장머리 없는 언니가 부러웠다. 이불 속으로 들어가 몸을 동그랗게 말았다. 용구는 내 자리였던 언니 왼편에 자리 잡았다. 발이 따스해질 때쯤 낮고 고른 언니의 숨소리가 들렸다. 내가 불러들인 불안한 평화가 시작되었다.

언니는 용구를 품에 끼고 지냈다. 화장실도 같이 갈 정도였다. 아빠와 마주치지 않으려고 용구와 관계없는 방 밖의 일들은 나를 시켰다. 용구도 언니를 졸졸 따랐다. 언니 장난에 요리조리 뛰어다니다가 언니 종아리를 베고 조는 용구가 행복해 보였다. 그렇게 한 달이 지나자 용구는 화장실 문을 열어 두면 깔아 둔 패드에다 볼일을 보았다. 그사이 몸집도 훌쩍 커졌다.

거실에 있던 철사들이 보일러실로 들어갔다. 언니가 넣어 버린 것 같았다. 뜻밖에도 아빠가 잠잠한 걸 보면 나만큼이나 언니를 기다렸는지도 모른다.

평화가 불안보다 조금 커져 있던 흐린 날이었다. 일요일 오후에 언니는 한 시간만 나갔다 오겠다고 했다. 밖을 나갈 때도 용구를 이동장에 넣어서 데려가더니 오늘은 짐을 가져와야 해서 안 된다고 했다.

"무슨 짐?"

"내 짐."

밖에 있을 때 쓰던 물건이 어딘가에 있나 보다. 짐을 가져온다는 건 이제 집에 머무르겠다는 뜻이었다.

용구를 잡아서 보일러실에 두었다. 언니가 돌아오기 전에 청소를 끝내고 이동장을 씻어 두기로 했다. 방과 거실에 청소기를 돌리고 물걸레로 슬렁슬렁 바닥을 밀었다. 주방 한쪽에 택배 상자째 있는 즉석식품은 보기만 해도 질렸다. 금요일에 오기로 한 엄마는 오지 못했다. 급한 일이 터졌다며, 예매한 열차표를 취소하는 걸 잊을 만큼 바쁘다고 했다. 비싼 열차값을 버려서 속상하다는 문자를 보냈다.

_정말 속상한 거 맞아?

아빠가 답을 달았다. 가족이 모여 있는 휴대폰 대화방은 엄마가 올지 안 올지를 알리는 용도로만 쓰였다.

즉석 죽 한 팩을 데워 먹고 샤워를 했다. 용구가 조용했다. 철사 더미에 갇혔거나, 물어뜯을 것을 찾았거나, 뭔가 일을 저지르고 있는 게 틀림없었다. 언니가 오기 전에 용구를 방에 들여놓기로 했다.

그런데 보일러실에 용구가 없었다. 집 어디에도 없었다. 현관문이 조금 열려 있는 것을 보고 밖으로 나갔다. 언니보다 먼저 외출을 했던 아빠가 계단을 올라오는 게 보였다. 나는 용구를 부르며 대문을 나갔다. 상황을 알아차린 아빠가 따라왔다. 해가 질 때까지 용구를 찾아서 동네를 뒤졌다. 놀이터 앞 슈퍼 아저씨가 강아지를 보면 잡아 두겠다고 했다.

저녁이 되면서 비가 내렸다. 집으로 돌아가서 우산을 챙겨 다시 나왔다. 조금 젖었을 뿐인데 몸이 떨렸다. 늦은 가을에 내리는 밤비는 무척 차가웠다.

이상하게 언니도 오지 않았다. 이대로 가 버리지는 않을 것이다. 용구 때문이라도 그럴 리가 없었다. 언니가 돌아오기 전에 용구를 찾고 싶었다. 동물은 냄새로 길을 찾을 수 있다. 용구도 우리 집 골목을 알아내서 올 수도 있었다. 창밖을 내려다보다가 용구가 문을 긁고 있을 것만 같아서 현관을 들락날락했다. 밤을 꼴딱 새워서 기다렸지만 언니도 용구도 돌아오지 않았다.

언니에게 용구를 잃어버렸다고, 문이 열려 있었다고, 아빠와 함께 놀이터와 시장, 초등학교와 공원까지 찾아봤다고 문자를 남겼다. 언니는 전화도 받지 않고 문자도 보지 않았다. 또 휴대폰을 끈 것이다.

불안한 평화는 그렇게 끝이 났다. 다시 아빠와 둘만 남았다. 그동안 고등학교 원서를 썼다. 어디로 배정이 되어도 상관없었다.

어느 날 학교에서 돌아와 보니 티셔츠와 바지가 없어졌다. 빨래 통, 세탁기, 빨래걸이, 안방까지 살폈지만 못 찾았다. 또 며칠 후엔 패딩까지 사라졌다. 언니 짓이었다. 아무도 없는 사이에 몰래 다녀간 것이다. 짐을 가지고 오겠다고 하고선 짐을 챙겨 가 버렸다.

그동안 언니를 위해 참고 애쓴 일들은 쓸데없는 짓이었다. 좋아하지도 않는, 만지지도 못하는 강아지를, 내 꼴이 될 게 뻔한 강아지를 집으로 데려온 건 순전히 언니 때문이었다. 돌아오라고, 제발 나만 막다른 골목 끝에 두지 말라고, 간절하게 빌었지만 소용없게 되었다.

아빠는 철사 더미를 다시 꺼냈다.

"아주 멋대로야, 지멋대로지."

아빠는 언니가 다녀간 것을 아는 듯했다.

방금 감아 낸 모양이 마음에 안 드는지 아빠가 철사를 풀었다. 2미터쯤 되는 철사를 곧게 편 다음 다시 작은 타원이 되게 말아 나갔다. 철사를 반쯤 남겨 두고 모양을 살피더니 고개를 저었다. 감고 펴고 다시 감기를 반복하다가 결국 철사를 부러뜨리고 말았다. 부러진 철사는 신발장 앞으로 내동댕이쳐졌다.

나는 소리 나지 않게 방문을 닫았다. 아빠는 살아 있는 것이든 아니든 당신 마음대로 해야 성에 차는 사람이었다. 추위를 피해 거실로 들여 놓은 여러 화분에도 철사가 감겼다. 꽃봉오리가 맺힌 동백나무 가지는 철사 안에 갇혀 과하게 휘어진 채로 겨울을 나게 생겼다. 식물원에서 나무를 특이한 모양으로 만들려고 그렇게 해 둔 걸 봤다. 내 눈엔 가두고 옥죄어서 기어이 굴복시키고야 말겠다는 억압으로밖에 보이지 않았다. 아빠는 창조주 흉내를 내는 것일까? 강아지나 식물, 그리고 당신이 꾸린 가족을 제 뜻대로 하고야 말겠다는 결의를 굳힌 것 같았다.

생각해 보니 용구가 집을 나간 건 내 실수가 아니었다. 청소기를 돌릴 때까지도 용구는 보일러실 문을 긁고 있었다. 그건 문이 닫혀 있었다는 뜻이다. 내가 이동장을 씻는 사이에 혹은 샤워를 하는 동안 아빠가 돌아와서 보일러실과 현관문을 차례로 열어 준 게 틀림없었다. 내가 용구를 찾으러 밖으로 나갔을 때 계단 중간에서 아빠와 마주친 건 우연이 아니었다. 그리고 용구는 계단을 무서워했다. 아빠가 용구를 발로 밀어서 현관에서 계단 아래로, 다시 대문 밖으로 쫓아내는 모습이 머릿속에 그려졌다. 용구가 쓰던 물건들도 치워지고 없었다. 아빠 영역에 용구 따윈 들여놓지 않겠다는 것이었다.

나는 함께 용구를 찾으러 다닌 아빠에게 깜빡 속았다. 차라리 잘되었다. 이 집에 있다가는 용구가 망가지고 만다. 나도 용구를 따라 가버리고 싶었다. 그래도 오는 잠을 밀어내며 바깥 소리에 귀를 기울였다. 용구가 돌아오면 때를 놓치지 않고 문을 열어 주고 싶었다.

집을 뛰쳐나가고 싶은 마음과 달리 다음 날 학교에도 가지 못했다. 용구를 기다리느라 창문을 열어 두고 잤더니 감기에 걸렸다. 흐느적흐느적 병원을 다녀왔다. 거실 한편에 있는 철사 더미를 발로 차 버렸다.

알약 세 개를 삼키고 누웠다. 심장이 뇌로 옮겨간 것마냥 관자놀이가 규칙적으로 뛰었다. 드륵드륵, 머리에서 소리까지 났다. 드르륵드르륵, 머리를 흔들어도 소리가 떨어지지 않았다. 생각해 보니 소리는 집에 들어왔을 때부터 있었다. 나는 후다닥 일어났다. 용구가 문을 긁는 소리라는 걸 뒤늦게 알아차렸다. 하지만 보일러실엔 소리를 낼 만한 게 없었다. 보일러조차 조용히 쉬고 있었다. 내가 혼자가 되었다는 걸 알아채고 소리가 다시 찾아온 것이었다.

_엄마, 이번 주에 오지?

_아니 다음 주에.

_또 다음 주야?

_요즘 바빠서 퇴근도 못해. 성탄절부터 새해까지 휴가야. 이번에 가면 일주일은 있을 수 있어. 그때 맛있는 것 먹고 쇼핑도 하자.

나는 안방을 뒤져서 열쇠를 찾았다. 잠긴 할머니 방을 열고 언니 옷이 든 상자를 방으로 가져왔다. 작년 수능이 끝나고 언니가 미친 듯이 사들인 옷들이었다. 언니 옷을 내 서랍에 차곡차곡 넣고 언니가 입다가 물려준 후줄근한 것들을 상자에 넣어서 다시 할머니 방에 가져다 놓았다. 방학을 앞두고 학교에서는 교복을 갖춰 입지 않아도 아무런 제재를 가하지 않았다. 덕분에 나는 매일 옷을 바꿔 입는 사치를 누렸다.

용구를 본 건 방학식을 한 몹시 추운 날이었다. 사물함을 비워야 해서 가방에 온갖 잡동사니를 쑤셔 넣었다. 종업식을 마치고 교실 뒤 분리수거장으로 갔다. 쓸모없는 것들을 집까지 가져갈 필요가 없었다. 건물 뒤로 돌아가자 떠들어 대던 한 무리가 돌아보았다. 우리 반 아이들이었다. 그냥 운동장으로 나왔다. 집으로 가기 싫어서 거리를 이리저리 헤매 다녔다. 무거운 가방이 추위와 더해져서 나를 더 움츠러들게 만들었다.

'소소한 고기집'을 지나다 개 짖는 소리에 뒷마당을 들여다봤다. 어이없게도 용구가 묶여 있었다. 이름을 부르자 꼬리를 흔들었다. 아니, 이름을 부르기도 전에 겅중겅중 뛰어올랐다.

아저씨는 용구가 아니라고 했다. 주방 이모가 데려가기로 한 강아지가 남겨져서 그대로 기르고 있다는 것이다. 아저씨는 자신의 말을 증명이라도 하려는 듯 개를 불렀다.

"소소야."

용구는 소소라는 이름에도 반응했다. 아저씨가 머리와 등을 쓸어주자 손길이 익숙한 듯 고개를 주억거렸다. 잃어버렸을 때보다 몸집이 커지고 주둥이가 길어지긴 했지만 내 눈엔 용구로 보였다.

"어쩌다 잃어버렸어?"

아저씨는 궁금하지도 않으면서 괜히 관심이 있는 척했다.

나는 용구 앞에 쪼그려 앉았다. 용구는 제자리를 맴돌았다. 개집에서 1미터를 벗어나지 못할 만큼 목줄이 짧았다. 털이 더러웠다. 냄새도 나는 것 같아서 조금 물러났다. 용구를 제대로 예뻐한 적이 없었다. 같이 산책을 한 적도 없었다. 그래도 용구는 내가 반가운지 목줄에 턱턱 걸려 가며 가까이 오려고 버둥거렸다.

"손님들 손을 많이 타서 아무나 좋아해. 집 지키긴 글렀어."

아저씨는 뼈다귀를 가져와 개집 앞 밥그릇에 던졌다. 용구는 모양만 뼈다귀인 개껌이 아니라 고깃집 개답게 진짜 뼈를 가지고 놀았다. 하지만 바짝 조인 목줄과 더러운 꼴을 보니 언니가 돌볼 때와는 비교도 할 수 없을 만큼 상태가 나빴다. 등과 엉덩이에 있는 그슬린 자국은 숯불에 덴 상처 같았다. 오늘처럼 추운 날에도 밖에 두는 걸 보면 이대로 겨울을 날 모양이었다.

"용구야."

뼈를 물고 있던 용구가 다시 헉헉 입김을 뿜으며 다가오려고 애를 썼다.

"돌려주세요."

"용구가 아닌데 왜 돌려줘? 비싼 품종도 아니고 똥개인데 뭘 그리 신경 써?"

그리고 이미 데려갈 사람이 있다고 했다.

"누가요?"

"몰라. 농사짓는 사람이니 시골로 데려가겠지."

개는 지금이 팔기 딱 좋은 나이라고 했다.

나는 사진을 몇 장 찍고 주차장을 나왔다. 언니에게 전화를 했다. 이번엔 받을 때까지 계속했다. 용구 사진을 전송하고도 열 번쯤 시도 끝에 연결이 되었다.

"왜?"

대뜸 윽박지르는 언니에게 전화를 왜 안 받냐고 한바탕 퍼부었다. 평소와 다른 까칠한 내 반응에 언니 목소리가 수그러들었다.

“돈 버느라고 그랬다. 방금 아르바이트 끝났어.”

“돈 있어?”

용구를 찾아오는 데 사례비가 필요하다고 했다. 이십만 원.

“얘가 용구라고? 아닌데! 얘는 완전 큰 애잖아.”

“맞다니까. 고깃집에 있어. 당장 안 찾아오면 식용으로 팔려 갈지도 몰라.”

사실이 아니었지만 사실이 될 수도 있었다. 시골로 간다고 모든 개가 넓은 마당에서 뛰어노는 것은 아니었다. 더구나 손을 많이 탄, 집 지키기는 글렀다는 개였다.

고깃집과 식용이라는 말에 놀란 언니는 한 시간 후에 사거리 편의점 앞에서 만나자고 했다.

“용구, 내가 데려갈 거야.”

언니는 쐐기를 박듯 말했다. 더 이상 용구를 우리 집에는 두지 않겠다고 했다. 서운함이 왈칵 몰려왔다. 둘이서만 평안하겠다는 뜻으로 들렸다.

다시 용구에게로 가서 슬쩍 들여다봤지만 아저씨가 숯불을 피우느라 뒷마당을 비우지 않았다.

내 옷을 입은 언니가 편의점 앞에 먼저 와 있었다. 한쪽 소매가 닳아서 털이 삐져나온 게 작년 그대로였다. 그마저도 언니가 2년을 입고 나에게 준, 유행이 지난 카키색 패딩이었다. 나는 언니가 손도 대지 못하게 했던 패딩을 입고 마주 섰다. 언니가 작년에 엄마 카드로 산 것들 중에서 가장 비싼 옷이었다. 인기 최고의 아이돌 그룹이 모델인 브랜드였다. 나에겐 조금 컸지만 크게 입어도 멋지기만 했다.

"찾았네."

언니는 나와 바꿔 입으려고 옷을 벗었다.

"싫어."

패딩에서 한쪽 팔을 마저 빼려던 언니가 멈췄다.

"그럼 용구 데리고 와서 바꿔."

"싫어."

언니가 나를 노려보다가 편의점에서 돈을 찾아왔다. 용구를 데리러 같이 가자고 했지만 나는 또 싫다고, 혼자 가겠다고 했다.

"아휴! 말끝마다 싫어, 싫어. 어쩌라고?"

"나도 언니 따라가면 안 돼?"

"어딜 따라와? 내가 노는 줄 알아? 얌전히 학교나 다녀."

나는 입술을 잘근잘근 씹었다. 누군 놀자고 따라가겠다는 건가. 그냥 같이 있으면 되는데, 용구는 되고 나는 안 되는 거였다. 주머니에 양손을 찔러 넣었다. 언니에게 받은 지폐가 잡혔다. 30분 안에 용구를 데리고 오겠다고 했다.

빠르게 걸었다. 언니를 불러낼 때만 해도 아저씨에게 한 번 더 말해 볼 생각이었다. 이십만 원까지는 아니더라도 오만 원쯤 주고 용구든 아니든 데려오려고 했다.

"왜? 난 싫다고 하면 안 돼? 싫으니까 싫다고 말하는 거야. 언니도 언니 맘대로 하잖아. 나도 내 맘대로 해!"

언니 앞에서 하지 못한 말을 쏟아 냈다. 시린 바람에 눈물이 맺혔다. 혼잣말을 하면 할수록 점점 더 화가 났다.

"나는 왜 안 돼? 나는 어쩌라고?"

한번 터진 눈물이 좀처럼 그치지 않았다. 패딩 모자를 더 깊숙이 눌러썼다. 젖은 뺨이 얼어서 따가웠다.

'소소한 고기집'을 지나쳤다. 횡단보도를 건너서 기차역으로 가는 버스에 올랐다. 맞은편이 잘 보이는 곳에 앉았다. 몇 개의 신호등을 지나자 여전히 편의점 앞에 있는 언니가 보였다.

버스가 신호 몇 개를 더 통과한 후에 문자를 보냈다.

_ 용구 아니래.

휴대폰을 꺼 버렸다. 언니가 용구를, 어쩌면 소소인지도 모를 개를 책임질 수 없게 만든 것이다. 정말 용구가 걱정된다면 근처 고깃집을 뒤져 보라지! 잔인한 심술이 뻗쳤다.

아빠는 내가 집에 들어오지 않으면, '제멋대로'인 게 하나 더 늘었다는 걸 알게 될 것이다. 생명 없는 철사도 자꾸만 건드리면 부러지고 마는데, 나는 왜 그렇게 견뎠을까? 아무도 아빠 심경을 건드리지 않는다면 홀가분하다 못해 심심해서라도 자신을 들여다볼지도 모를 일이다.

아무튼 지금은 나 이외의 것은 외면하기로 했다. 당장은 혼자서 타본 적 없는 열차를 타는 것에 집중해야 했다. 역 화장실로 가서 가방을 비웠다. 체육복과 문제집, 노트와 수행 평가를 위해 겨우 몇 장 읽은 인문학 책, 학습 자료를 모아 놓은 파일과 누군가 넣어 놓은 빼빼로까지.

"예민하든 말든 뭔 상관이야? 시발, 내 손톱 내가 물어뜯는 거야. 귀가 멀쩡하니까 소리도 듣는 거잖아, 병신들아."

한 개씩 집어 던질 때마다 욕을 붙였다. 던지고 맞서고, 던지고 쏘아붙이고. 버려지는 것들이 철제 쓰레기통에 텅! 텅! 부딪히며 추임새를 넣었다. 덕분에 기분이 한결 나아졌다.

배가 쏙 들어간 가방을 메고 경주로 가는 열차표를 샀다. 바로 가는 열차는 막차까지 떠나 버려서 대전에서 환승을 해야 했다.

"다음엔 휴대폰 앱을 깔아서 예매하세요."

표를 받고 머뭇거리는 나에게 직원이 열차표에 빨간 펜으로 동그라미를 쳐 가며 열차 번호와 탑승구, 좌석을 알려 주었다.

타야 할 열차를 몇 번이나 확인하고, 좌석을 찾아서 앉을 때까지 눈을 부릅뜨고 긴장을 늦추지 않았다. 환승역에서 엄마에게 전화를 할 거다. 엄마가 역으로 마중 나올 시간을 줘야 하니까. 어둡고 춥고 낯선 곳에서 기다리기 싫으니까. 아무리 바빠도 오겠지. 또 다른 불안이 시작되려고 해서 생각을 멈췄다.

열차가 출발하면서부터 방송을 귀담아들었다. 그러다가 나도 모르게 졸았던지 고개가 휘청 꺾이는 바람에 눈을 떴다. 누군가 흐느끼고 있었다. 흘리는 것보다 참는 울음에 가까웠다. 주위를 둘러보았지만 옆 사람과 통로 건너에 있는 사람은 자고 있었다. 황급히 휴대폰을 켰다. 열차가 출발한 지 40분이 지났다. 20분 후엔 내려서 환승 열차를 기다려야 했다. 언니에게 온 부재중 전화는 지워 버렸다.

창에 이마를 기대었다. 차가운 감촉에 머리가 개운해지는 것 같았다. 창으로 열차 안 풍경이 고스란히 비쳤다. 대부분의 승객들이 휴대폰을 만지고 있었다. 그 너머로 밤이 내린 세상이 보였다. 가까운 나무들이 빠르게 밀려나고 멀리서 도시의 불빛이 지나갔다. 밤하늘보다 더 까만 산들이 배경처럼 이어졌다.

갑자기 풍경이 뚝 끊기고 열차 소리가 안으로 몰려들었다. 유리창에 내 얼굴이 나타났다. 열차가 터널로 들어선 것이다. 열차 소음에 다시 소리가 섞여 들었다. 가냘픈 괴성, 억눌린 신음, 토하는 듯한 가쁜 숨.

열차가 터널을 나오자 소리가 거짓말처럼 사라졌다. 나도 모르게 참았던 숨을 털썩 내려놓았다. 다시 지루한 밤 풍경이 이어졌다. 낮고 검은 산들이 집요하게 열차를 따라왔다. 빠르게 가라앉았다가 솟구치고 웅크렸다가 뛰어올랐다. 구불구불한 능선이 절박하고 간절해 보였다. 내몰리고, 도망가고, 달아나고…….

순간 소스라치게 놀랐다. 흐느끼는 것의 정체를 알아 버렸다. 그건 시커먼 그림자에 짓눌린 이름 없던 강아지의 비명이었다. 내 품으로 달려든 용구의 몸부림이었다.

너의 시작

일요일 오후 4시 30분, 이미 잠룡 태권도 간판에는 불이 들어와 있었다. 약속대로 막내 사범님이 출근했다. 계단을 두 개씩 뛰어올라 단숨에 3층에 다다랐다. 도장 문 앞에서 숨을 고르고 앞머리를 매만졌다. 허리까지 오는 티셔츠 사이로 맨살이 살짝 드러났다. 이 옷을 입으려고 어제저녁부터 쫄쫄 굶었다. 민규가 봤다면 엄청나게 놀랐을 것이다.

평소 민규는 나를 '자영'도 아니고, 잠용(대부분 이렇게 부른다.)도 아닌 차용이라고 부른다. 얌전하고 단아한 '자영'이라는 이름이 나에게 어울리지 않는다고 했다.

"너랑 있으면 발이 움찔움찔 올라가. 돌려 차기로 까면 후련하겠어."

"그건 폭력이다."

"합의하고 시작하면 대련이지."

"아냐, 그건 싸움이야."

"누가 싸움을 합의하고 하냐?"

"그래? 자, 우리 합의했다 치고 내질러 봐. 난 바로 경찰서, 학교, 119에 신고할 거야."

"너, 진짜 처맞고 싶지!"

민규는 내가 '차요, 차요, 차 주세요.', 매를 부른다고 했다. 하지만 이제 공식적으로 발길질을 할 일도 없어졌다.

올해 고등학생이 되었고 태권도를 그만두었다. 체육을 전공할 것도 아니면서 중학교 3학년까지 10년을 꽉 차게 도장을 다녔다. 그런 아이들은 거의 없었다. 어릴 적 함께했던 친구들은 해마다 떨어져 나갔고 마지막까지 내 옆을 지킨 민규마저도 재작년에 그만두었다. 이 새끼는 그만둔 후 도장에 놀러도 오지 않는다. 질려서 쳐다보기도 싫은 것인지, 나를 기다려도 꼭 도장 건너편 횡단보도에 서 있다.

나는 아빠 때문에 어쩔 수 없었다. 어릴 적엔 가기 싫다고 하면 온갖 것들로 꾀더니 그다음엔 용돈을 걸고 나를 도장으로 끌어냈다. 이젠 그것도 통하지 않자 서운하다, 속상하다, 하며 어찌나 질척거리는지……. 하는 수 없이 얼굴을 내밀기로 했다. 운동은 하지 않고 대신 저녁 수업 시작 전에 가서 바닥을 닦고 수업에 빠진 아이들 명단을 뽑아 놓는 일을 계속했다. 특별 수업 한 타임만 있는 일요일 오후에 문을 열고 바닥을 닦아 놓는 것도 내 몫이었다. 아빠는 도장 바닥의 청결을 무척 중요하게 여기는 잠룡 태권도 관장님이시다.

그런데 새로 온 막내 사범님이 일요일에 와서 운동도 하고 나 대신 청소도 하겠다고 했다. 휴일에 할 일이 없어서인지 정말 운동이 필요해서인지 알 수 없었다. 어쨌든 나야 고맙고 좋았다. 특별한 이유로 무척 좋았다.

문을 열자 스피커에서 녹음된 어린 여자아이의 목소리가 흘러나왔다.

안녕! 친구들, 어서 와. 잘 왔어.

윽, 여덟 살 적 내 목소리다. 초등학교 입학식을 앞두고 미트볼스파게티를 보상으로 내건 아빠 꾐에 넘어가 인사말을 100번쯤 녹음했다. 그중 고르고 골라서 선택된 게 인공 지능 말투를 닮은 것이었다. 그게 10년이 지난 지금까지 쓰일 줄은 몰랐다. 이럴 줄 알았으면 매년 스파게티를 대접받는 것을 계약 갱신 조건으로 걸어 둘 걸 그랬다. 수업 중엔 아이들이 내지르는 기합과 운동용 음악에 묻혀서 상관없지만 오늘처럼 도장이 텅 비어 있을 때에는 인사말이 도드라져서 민망했다.

지금은 아빠가 사 주는 스파게티는커녕 내가 끓인 라면을 나눠 먹기도 힘들었다. 아빠는 밤 9시에 도장 수업을 끝내고 대리운전을 한다. 그렇게 해서라도 젊은 청년을 사범으로 들여야 도장의 최대 고객인 어린이 회원을 지킬 수 있다고 했다. 지금 아빠는 특별 수업 시간 전까지 밀린 잠을 자는 중이었다.

이번에 온 막내 사범은 체대를 갓 졸업했지만 어린이 스포츠 센터에서 일을 한 경력이 있었다. 도장에는 아빠 말고 정식 직원인 사범님이 한 명 더 있어서 새로 오는 사범은 늘 막내 사범님으로 불린다. 하지만 나는 이번만큼은 다르게 부르고 싶어졌다. 처음으로 '오빠'라고 부르고 싶은 사람이 내 앞에 나타났다.

오빠는 바닥에 걸레질을 하는 중이었다.

"잠용, 왔어?"

집을 나서기 전부터 수줍음 섞은 인사를 연습했는데 잠용이라고 불리는 순간 입꼬리가 얼어붙었다. 우자영이라는 이름을 세 번이나 알려 줬는데 여전히 잠용으로 부르는 건 나에게 장난을 걸고 싶어서일 수도 있었다. 잠용은 엄마 배 속에 있을 때 얻은 태명이다. 어릴 적부터 나를 알던 사람들은 모두 그렇게 부른다. 그래서인지 새로 알게 되는 사람들까지 따라 했다.

구석에 서서 휴대폰을 만지며 오빠를 훔쳐보았다. 한쪽 벽 전체가 거울로 되어 있어서 오빠가 어디로 향하든 다 볼 수 있었다.

잠깐 사이에 주리에게서 온 문자가 아홉 개나 되었다. 어제부터 주리의 고민을 들어 주는 중이었다. 주리는 친구의 남자 친구가 밤낮없이 생각난다고 했다. 아직 친구와 상대방은 주리의 심각한 상황을 모르고 있었다. 이런 문제는 간단하다. 친구가 그냥 친구든 시험 끝나는 날은 무조건 만나고 생일을 꼭 챙기는 절친한 사이든, 내가 권하는 해결책은 같다.

_쌍년이 되고 싶지 않으면 접근하지 말라니까.

_그게 맘대로 안 된다고. 내 마음을 나도 모르겠어.

벌써 같은 말을 세 번째 반복 중이었지만 주리는 나의 조언을 받아들이지 못했다. 이미 마음이 홀라당 뒤집혀져 있어서 쌍년이 될지언정 제 길을 가기로 한 것이다.

_그럼, 기다리기라도 해. 만약 남자애가 먼저 접근하면 여친 정리하고 한 달 후에 연락하라고 해. 그땐 네 마음도 확실해졌을 거고.

이것으로 주리와의 상담을 마무리했다.

연애 상담의 경우 이미 마음을 정해 놓고 나를 찾는 경우가 대부분이었다. 자신의 결정에 내가 힘을 실어 주길 바라지만 그럴 수 없었다. 만약 그렇게 했다면 나는 싹수없는 쓰레기로 소문났을 것이다.

나는 친구들에게 상담사로 통했다. 우정, 연애, 가족 등등 고민을 털어놓으면 생각나는 대로 말해 준다. 민규는 나더러 '극단적'이라고 했다. 조언이 허황된 판타지이거나 헌법만큼이나 교과서적이라는 것이다. 하지만 나의 조언은 제법 먹혀든다. 나중에 찾아와서 "네 말대로 할 걸 그랬어."라고 하는 아이가 꽤 되는 것만 봐도 알 수 있다. 이게 다 수년 간 도장을 드나들며 쌓아 온 경험 덕분이었다.

주리에게 조언한 것도 경험에서 나온 것이냐고? 친구의 남자 친구를 곁눈질하기는커녕 슬프게도 이성과 꽁냥꽁냥 사귀어 본 적도 없다. 하지만 친구들은 남자들이 득실대는 도장에 터를 잡은 나의 연애 경력을 의심하지 않았다. 그저 각자가 미루어 짐작하고 믿어 버렸다. 내가 모태 솔로라는 건 민규만 아는 비밀이었다. 연애에 관한 건 웹툰, 영화, 드라마, 책에서 배웠다. 스토리 속 인물들 간의 관계와 사연을 해석하는 것만으로도 친구들의 연애 수준 정도는 감당할 수 있었다.

톨스토이 할아버지가 행복한 집은 그래 봤자 서로 비슷하지만, 불행한 집은 사연마다 각양각색 구구절절하다고 했다는데, 열일곱 인생에서 이성과 만나는 사연은 고만고만하고, 헤어지는 이유 또한 거기서 거기다. 설령 누군가 특별한 인연이라고 우겨도 알고 보면 '사연 53'에 지나지 않는다. 설레고 잠 못 이루는 건 당사자뿐이었다. 주리처럼 웃고 울고 혼자서만 애틋해하다가 끝나 버린다. 친구들의 어설픈 연애 사연을 들을 때마다 다짐하고 기대했다. 나는 완벽한 인연을 만들 거라고. 나에게 꼭 맞는 남자를 잡을 거라고. 한 치의 의심 없이 내 것을 알아볼 수 있을 거라고.

그 인연이 갑작스럽게 닥쳤다. 그날은 비어 있는 막내 사범 자리에 뉴 페이스가 온다는 날이어서 조금 일찍 도장에 갔다. 도장 문을 살짝 열고 보니 초등학생들이 "헛, 둘, 세엣, 네엣!", 마무리 스트레칭을 하고 있었다. 문을 조금 더 밀었다. 힘 조절이 중요했다. 자칫하면 스피커가 작동해서 눈길을 끌 수 있었다. 손잡이를 힘주어 잡고 문틈으로 안을 훑었다. 아이들 틈에 있는 어른들은 찾지 않아도 눈에 들어왔다. 새로 온 얼굴은 보이지 않았다.

문을 닫으려는데 갑자기 눈앞이 하얘졌다. 천천히 고개를 들어 보니 코가 맞닿을 듯 가까이서 누군가 나를 내려다보고 있었다. 아마 나는 그를 한참이나 올려다봤을 것이다. 그 또한 나를 계속 봤다. 정말이지 그의 눈동자는 조금의 흔들림도 없이 나만을 바라봤다. 내가 침을 꼴딱 삼켰을 때에야 그가 입술에다 검지를 세우고 천천히 문을 닫았다. 입술 끝이 반원을 그릴 듯 양쪽으로 쑤욱 올라가는 모습을 끝으로 그가 사라졌다.

순간 속에서 진동이 일어났다. 안마 의자에 누웠을 때처럼 몸이 저절로 부르르 떨렸다. 머리가 얻어맞은 듯 멍해졌다. 생각해 보니 멍한 게 아니라 어지러운 것이었다. 정신이 아득해진다는 연애 감정의 단골 표현이 내 몸에서 일어나고 있었다.

다음 수업을 하러 온 아이들이 내 뒤로 줄지어 서 있었다. 나는 얼른 밖으로 나갔다. 도복을 입은 사람에게도 향기로운 냄새가 날 수 있다는 것을 처음 알았다. 향기와 긴 손가락을 생각하다가 그의 눈에 비쳤을 내 모습이 떠올랐다.

"어떡해! 어떡해!"

발이 저 혼자서 동동거렸다.

수업이 시작되었지만 안으로 들어가지 못했다. 그를 다시 볼 생각을 하니 얼굴이 달아올랐다. 상가를 한 바퀴 돌고 나서 도장 문을 빼끔 열었다. 아이들에게 인사를 하고 박수를 받는 막내 사범은 음, 멋있었다. 어떠한 수식어도 필요 없는 완전한 멋짐, 그 자체였다. 넘쳐나는 감정을 도저히 혼자서는 감당할 수 없었다. 고민을 털어놓는 친구들의 심정이 200% 이해되었다. 의사에게도 의사가 필요하듯, 상담사에게도 상담사가 필요했다.

나에게는 민규가 있었다. 우리는 유치원에 가기 전부터 태권도를 가장한 치고받는 몸싸움으로 다져진 사이였다. 매번 둘 중 한 명이 울어야 끝이 났고, 울고 나면 같이 욕조에서 물놀이를 하거나 해가 넘어

갈 때까지 놀이터에서 뛰어다녔다. 나이가 차면서 배드민턴을 치며 상대방을 노렸고, 농구 수행 평가 연습을 핑계로 골대보다는 서로를 향해 공을 던졌다. 놀이는 달라졌지만 그동안 공유한 비밀을 지키는 의리만은 변함이 없다.

나는 초등학교 3학년 때 도장에서 바지에 오줌을 싼 민규에게 도복 바지를 빌려줬다. 민규는 반 아이가 잃어버린 인형 달린 연필이 내 주머니에 있는 걸 알고 대신 교실에 가져다 놓았다. 6학년 때 민규는 나에게 생리대를 사 줬고, 자신의 아빠가 모르는 여자와 있는 걸 봤다고 털어놓았다. 작년에는 가출한 민규를 내 방에서 이틀 동안 재워 줬고, 나는 할머니가 네 분이었다고 말했다. 그러니까 아빠와 엄마의 아버지들은 아내가 둘씩이었다. 내가 친구들에게 들은 것들을 절대로 발설하지 않는 것처럼 민규도 우리 둘만의 일을 아무에게도 말하지 않았다. 이제는 학교가 달라서 가끔 만나지만 평소엔 데면데면하다가도 급할 때 찾는 동지애는 여전했다.

달아나듯 건물을 빠져나가서 민규에게 SOS를 보냈다. 한 블록 떨어진 학원에 있던 민규는 연락을 기다리기라도 한 것처럼 수업 중에 뛰쳐나왔다. 이래서 내가 민규를 큐규라고 부른다. cue 신호를 보내면 재깍 등장하는 큐규.

우린 상가 건너편 나무 아래에서 막내 사범이 나오길 기다렸다.

“사람을 그렇게 빤히 보는 건 처음이었어. 나 미쳤나 봐. 아휴, 모르겠어. 내가 왜 그랬지? 분명 뭐 이런 애가 다 있어, 했을 거야. 나 어떡해?”

첫 만남의 순간을 세 번쯤 반복해서 설명했을 때 민규가 한마디 했다.

"야, 초보 티 좀 내지 마. 경험 없는 애들이나 금방 사랑에 빠지는 거야."

"그래서?"

날 선 나의 반응에 민규는 입을 닫았다.

막내 사범이 아이들에게 둘러싸여 나왔다. 당장 군 입대를 할 것같이 짧게 깎은 헤어스타일이 신선했다. 신호를 기다리며 한 아이의 슬리퍼를 고쳐 신겨 주는 게 보였다. 상가 불빛에 왼쪽 귀 위 머리카락을 밀어서 만든 줄무늬 두 개가 드러났다. 아! 첫 느낌이 맞았다.

"어때? 지금까지 본 사범님들이랑 완전 다르지?"

민규는 대답 대신 고개만 끄떡였다. 나를 이해할 것 같다는 표정이 마음에 들었다.

"결정했어. 내 오빠 할래."

오빠가 없는 나에게 오빠라는 호칭은 특별했다. 아무에게나 붙여 주고 싶지 않아서 아껴 두었더랬다.

고등학교에 들어가서 〈'나의 시작'은 언제인가?〉라는 주제로 개별 발표를 한 적이 있었다. 누군가는 생리를 시작하면서 온전한 '나'가 되었다고 했다. 2세를 만들 수 있는 능력은 한 인격체로 설 수 있는 시작이라는 논리에 남학생이 "그럼 나는 첫 몽정!"이라고 해서 아이들이 책상을 두드리며 웃었다. 또 누군가는 돈을 벌어서 독립을 하면 더 이상 보호자가 필요 없는 것이니 '나의 시작'은 아직 멀었다고 했다. 나는 발표 전날 민규에게 물었다. "생각해 볼게." 심드렁하게 답을 하는 민규는 별 생각이 없어 보였다. 나도 마땅히 떠오르는 게 없어서 뭐, 그러시든가, 하며 아이들의 의견을 적당히 인정했더랬다.

그런데 나에게도 시작이 온 것이다. 생명 유지로만 쓰였던 심장이 이성을 향해 깨어나고, 오빠의 귀 위 줄무늬를 만져 보고 싶은 호기심이 생겨난 지금, 몸속에서 전류가 흘러 스스로를 밝힌 이 순간이 '나의 시작'이었다.

오빠 나이가 스물일곱이라고 말하고 슬쩍 민규 눈치를 살폈다. 민규는 아무런 반응도 하지 않았다. 발차기를 당하지 않으려는 건지, 끓어넘치는 내 마음의 크기를 가늠하는 중인지 잘 모르겠다.

우리는 밤마다 오빠 뒤를 밟았다. 버스 정류장 근처에 숨어서 오빠가 버스를 타고 갈 때까지 지켜보았다. 드러내지는 못하지만 내 방식대로 오빠를 배웅하는 거라고 생각하니 한층 더 애틋했다.

속앓이만 한 달째. 벚꽃이 날리던 어느 밤, 가로등 불빛 아래에서 꽃잎을 맞으며 버스를 기다리는 오빠와 그 모습을 훔쳐보는 내가 로맨스 웹툰의 주인공처럼 느껴졌다.

"큐규, 더 못 참겠어, 고백할까 봐."

"네 스타일 아니지 않냐?"

내지르는 답변에 나는 민규를 노려보았다.

"어디가? 어떤 게 아닌데?"

"키 크고 꽃미남 아이돌 외모에, 옷 잘 입고 목소리 좋은 남자 좋아하잖아. 저 사람은 그냥 아저씨 같아."

"야, 판타지랑 현실이랑 같아? 오빠는 내 눈앞에 있다고! 그리고 어디가 아저씨야? 나이 많으면 다 아저씨냐?"

민규는 예민한 내 반응에도 물러서지 않았다.

"어떤 사람인지도 모르잖아……, 미안."

그러고는 획 돌아서서 가 버렸다.

배신감에 나는 입술을 잘근잘근 씹었다. 그동안 이해하는 척 내 이야기를 묵묵히 듣고만 있더니 한 달 만에 고작 한다는 말이, 아니잖아? 용기를 주진 못할망정 간절해서 부풀 대로 부푼 마음에 송곳을 꽂았다. 단번에 빵 터뜨려 버렸다.

"어떤 사람인지 봤잖아, 같이 봤잖아!"

냅다 소리를 질렀지만 이미 민규는 횡단보도를 건너고 있었다.

'미안'은 또 뭐야. 우리는 그동안 서로에게 아무리 험한 일을 저질러도 사과니 용서니 하는 과정을 거친 적이 없었다. 민규 팔이 부러졌을 때에도, 민규 발차기에 내 입술이 찢어졌을 때에도 사과해야 할 사람이 더 울고불고 억울하다고 화를 내면 그만이었다.

집으로 돌아와서도 분이 풀리지 않았다. 예상치 못한 민규 반응을 골똘히 생각해 보았다. 어쩌면 이건 배신이 아니라 시기심일 수도 있었다.

그동안 민규는 여자 친구 비슷하게, 사귀는 것 비슷하게 여자 사람을 두 명 만났다. 그때마다 나는 조금씩 싫은 티를 내긴 했다. 하지만 그건 민규를 남자로 여겨서가 아니었다. 단짝 친구가 다른 아이랑 친하게 지내는 것을 봤을 때 느끼는 질투 같은 거였다. 처음 고백을 받았다고 했을 때 내 의견은 "걘 초딩 때부터 싸가지 없었어!"였다. 그다음에 만난 여자 친구에 관해서는 "아무 느낌 없다며? 그게 좋아하는 거냐?"라고 말해 주었다. 그땐 맹세코 상담사의 입장에서 조언을 했다. 민규도 내 말에 동의했다. 한 명은 자기밖에 모르는 애였고, 또 한 명은 뺨에 뽀뽀를 했는데 그냥 자신의 피부가 아닌 걸 확인했다고, 그래서 뺨에서 그만두었다고 했다.

민규의 괜한 시기심을 잠재워 주기로 했다.

_내 옆에 누가 있든 큐규는 나의 절친, 불안은 넣어 둬.

문자를 보내자마자 답이 왔다.

_절친 인정. see y!

휴대폰을 팽개쳤다. 대화창을 열자마자 'see y!'라니. 말하기 싫으니 나더러 꺼지라는 거였다.

오빠의 SNS에 들어갔다. 아직 친구 신청 수락을 받지 못했다. 민규에게도 친구 신청을 해 보라고 했는데 성과가 없는 것 같았다. 전체 공개로 설정된 게시물은 많지 않았다. 이미 본 게시물들을 다시 훑어봤지만 여자 친구가 있는지 알아내지 못했다.

나를 여자로 볼까, 자신이 없었다. 매일 봐도 서로 인사만 했지, 대화를 해 본 적이 없었다. 아이들에게 웃어 주고 손 흔들어 주면서도, 다른 사범님이나 관장님인 아빠에게는 할 말만 하는 깍듯한 사람이었다. 그런 걸 보면 사람들과 사적으로 얽히기 싫어하는 성격인 것 같기도 했다. 당장 내 마음을 받아 주지 못하더라도 '학생이다, 미성년이다, 어리다' 하며 철벽만 치지 않았으면 좋겠다.

그동안 친구들을 응원하고 조언하고 위로했던 시간이 별 도움이 되지 않았다. 하긴 의사도 제 병은 못 고친다는 말이 있지 않은가. 민규가 적극적으로 뭔가를 해 주면 좋겠는데 그럴 생각이 없다는 게 오늘 증명되었다. 더 이상 나의 한숨을 들어 주지 않을 것이다.

그래서 용기를 냈다. 내 일이니까 내가 해결한다! 오빠를 혼자서만 볼 수 있는 일요일 오후, 이 시간을 놓칠 수 없었다.

오빠가 대걸레를 들고 화장실로 들어갔다가 한참 만에 나왔다.

"관장님 기다려?"

정말 궁금해서인지, 그만 가라는 우회적 표현인지 가늠이 되지 않았다. 말 한 마디에도 촉이 서는 건 어쩔 수 없었다.

"아니요, 시간이 좀 남아서요."

"자장면 먹을래?"

"네? 네! 네!"

심장이 마구잡이로 뛰었다. 드디어 마주 앉을 기회가 왔다. 나는 재빨리 화장실로 가서 얼굴을 점검했다. 번들거리는 콧잔등을 화장지로 누르고, 형광등 불빛에 진해 보이는 눈 화장을 살짝 지웠다.

음식이 배달되었다. 자장면 세 개, 탕수육, 서비스 만두. 가짓수와 인원수의 부조화에 의문을 품으며 포장을 벗기고 있을 때 '안녕! 친구들, 어서 와. 잘 왔어.', 인사말이 울렸다.

문을 열고 안으로 들어선 건 민규였다. 도장을 그만두고 한 번도 온 적 없는 민규가 부르지도 않았는데 왔다. 나는 아랫입술을 물었다. '뭐야? 왜?' 복화술 능력을 발휘했지만 민규는 못 들은 척했다.

자장면 하나를 가져가 뚜껑을 벗기는 민규 행동이 너무 자연스러웠다. 잠룡 태권도 사범님인 오빠에게는 고개만 숙일 뿐 제대로 인사도 하지 않았다. 자장면을 비비며 양쪽으로 눈알을 굴렸다. 고백 타이밍에 나타난 민규와 그런 민규를 본 듯 못 본 듯 묵묵히 먹기만 하는 오빠. 어째 이상했다. 달아야 할 자장면 냄새가 찜찜하게 변질되고 있었다. 머리를 굴리고 굴린 끝에 이 상황을 이해할 수 있는 가장 타당한 이유 하나를 간신히 찾았다.

"도장 다시 나오려고? 벌써 상담한 거야?"

입안 가득 자장면을 넣은 민규가 고개를 저었다.

"관장님한테 전화 안 해도 돼?"

민규가 나에게 시간을 보라며 휴대폰 화면을 들이댔는데, 오빠가 젓가락을 놓았다.

"내가 할게."

오빠가 처음 본 민규 말을 아무렇지도 않게 받았다. 자장면이 넘어가지 않았다. 반도 더 남은 면에 젓가락을 푹 꽂았다. 나오라고 했더니 민규가 두말 않고 일어났다.

건물 밖으로 나가지도 못하고 2층 계단 중간 참에서 눌러놓은 불만과 불안이 터져 버렸다.

"뭐냐? 영어 과외 시간 아니야?"

민규는 휴지로 입을 닦으며 엉뚱한 대답을 했다.

"좋아하는 사람이 있어."

"뭐래. 누구? 너?"

힐끔 나를 보는 민규 표정이 애매했다. 아, 오빠에 관한 것인가? 내가 충격을 받을까 봐 시간을 끄는 것이었다. 우선 침부터 삼켰다. 풀썩대는 마음을 심호흡으로 눌렀다.

"괜찮아, 말해."

민규는 막내 사범이 나의 오빠가 될 수 없다고 했다. 사귀는 사람이 있는데, 그 사람과 찢어져도 나와는 안 될 사람이라고 했다.

"왜? 내가 어려서? 관장님 딸이라서?"

흥분한 목소리가 계단을 타고 메아리처럼 울렸다. 말하라고 다그쳤다. 1층에서 아줌마 둘이 우리를 올려다보다가 되돌아갔다.

민규가 '어, 아, 음.'을 반복했다. 입맛을 다시며 망설였다.

"나, 자기 스타일이 아니래? 못생겼대? 뭔데? 말하라니까!"

갑자기 민규가 계단을 내려갔다. 도망치듯 가 버렸다.

위쪽 난간에 하얀 도복 자락이 보였다. 나도 후다닥 건물을 빠져나왔다. 신호를 무시하고 횡단보도를 건너서 공원으로 갔다. 오빠의 시선이 쫓아오는 것만 같았다. 멀리 가서 숨어 버리고 싶었다.

늦은 밤, 결국 민규에게 전화를 걸었다. 이유는 확실히 알아야 했다.

나는 민규가 말을 할 때까지 한 마디도 하지 않고 기다렸다. 이 압박이 민규에게 가장 잘 통했다.

"넌 내 친구야."

"……."

"우린 비밀을 말할 수 있는 친구라고, 맞아?"

"맞아."

대답을 듣고도 민규가 시간을 끌었다.

내가 폭발할 차례만 남았다. 3초만 참자. 5초만, 아니 딱 10초! 눈을 질끈 감고 숫자를 셌다.

"친구니까, 널 위해서 말하는 거다."

민규가 스스로에게 다짐을 하는 것인지, 나에게 강조하는 것인지 애매한 말로 시작했다. 도대체 담아 두고 있는 게 무엇이기에 이렇게까지 어려워하는지 겁이 났다. 차라리 듣지 말고 전화를 끊어 버리고 싶었다. 하지만 오빠와는 시작도 안 했으니까 상처받을 것도 없다고 스스로를 다독였다. 그래서 세게 나갔다. 센 척이라도 해야 했다.

"야! 당장 네 집으로 간다."

"지금사귀는사람이남자야."

민규가 속사포처럼 말했다.

나는 잠깐, 아주 잠깐 멈칫했다.

"거짓말."

그다음엔 목이 터져라 소리를 질렀다.

"거짓말! 우리 오빠를 뭐로 보고! 왜 방해하는 건데? 내가 잘되는 게 싫어? 지금 한 말 책임져야 해. 함부로 할 말이 아니라고!"

"……."

"그치? 할 말 없지? 비겁한 새끼, 질투하는 거지? 방해하는 거지? 너, 나 좋아하냐?"

끝내 하지 않아도 될 말을 하고 말았다.

"내가? 웃기시네. 죽을 때까지 그럴 일 없어."

그럴 일 없다니, 나 같은 여자랑은 엮일 일이 없다는 것이다.

"당장 가서 물어볼 거야. 아니면 책임져! 아니면 너랑, 끝이야!"

"그래라."

대답이 담백했다. 씩씩대는 내 숨소리를 듣고 있던 민규가 한참 만에 차갑게 말했다.

"그래라, 하지만 조심해. 이런 건 지극히 개인적인 거야. 사귀는 사람 있어요? 하고 묻는 거랑은 달라."

자신만만하게 내뱉고 민규가 전화를 끊었다.

장난일까? 설마 사실일까? 우린 신발을 밟고, 물건을 빼앗고, 목을 조르는 장난은 했다. 숨기는 건 있어도 거짓말은 하지 않았다. 민규가 남의 개인사를 지어내면서까지 나를 후려칠 리 없었다. 우리도 진지할 땐 인생과 미래를 논할 정도는 된다. 하여간 민규는 내가 고백조차 할 수 없게 만들었다. 차라리 고백하고 거절당하는 게 나을 것 같았다.

그동안 보고 듣고 느낀 그에 관한 것들을 되짚었다. 도복 위로 드러난 튼튼한 목과 기다란 손가락과 '잠용, 왔어?' 하는 지극히 평범한 목소리. 그의 발이, 손이, 마음이, 모든 게 동성에게 더 열려 있다고? 민규는 내가 보지 못한 무엇을 본 걸까? 어느새 나는 민규의 말을 믿고 있었다.

그럴 수 있어. 그럼, 그럴 수 있지. 누구를 좋아하든지 있을 수 있는 일이야. 웹툰에서, 영화에서 보고 또 봤잖아, 이상할 것도 없지. 같은 말을 아무리 반복해도, 아니었다. 그럴 수 없었다. 이건 세상의 일이 아닌 내 일이었다. 막내 사범은 그대로인데 나만 돌아선 꼴이 되었다.

며칠 후 민규는 거짓말을 하지 않았다며, 원하면 증거가 될 사진을 보내 줄 수도 있다고 했다. 그리고 한마디 덧붙였다.

_상처받을까 봐 말해 준 거야.

_어쩌라고?

확인 사살까지 하는 새끼, 민규 전화는 절대로 받지 않을 거다.

도장 일에 완전히 손을 떼겠다고 했다. 아빠가 또 서운해했다. 공부에 집중할 거라는 나를 기어이 불러 앉혀서 이유를 물었다. 나는 아빠에게 마구 쏘아붙였다.

"나, 고등학생이야. 공부하겠다고! 친구들은 부모들이 공부 못 시켜서 난리래. 내가 알아서 하겠다잖아. 누가 학원비 더 달래? 지원은 못 해 줄망정 왜 자꾸 일을 시키려는 건데?"

벌어진 입을 다물지 못하는 부모님을 외면하고 방으로 들어왔다. 분명 둘은 내가 사춘기라고 쑥덕댈 것이다. 어른들은 자식에 관한 풀지 못한, 혹은 풀기 싫은 문제와 맞닥뜨리면 '사춘기' 핑계를 댄다. 그

건 난공불락 요새 앞에서 부끄럼 없이 떳떳하게 흔들 수 있는 백기 같은 것이었다.

민규는 연락도 하지 않고, 도장 앞에서 나를 기다리지도 않았다. 가을 끝자락쯤 막내 사범이 바뀌었다. 시간이 지날수록 내 마음에 남는 건 오빠가 되지 못한 막내 사범이 아니라 민규였다. 나는 2학기가 시작될 때까지도 혼란스러웠다. 처음엔 화가 났다. 민규는 나를 위로해야 마땅했다. 정신 차리라고 엉덩이를 걷어차는 것이면 충분했다. 고백도 하지 못하고 짝사랑으로 끝나 버린 내가 불쌍하지도 않은가 보다.

그런데 시간이 지날수록 내가 비열하다는 걸 조금씩 알아차렸다. 이중성 말이다. 선입견 없고, 차별하지 않고, 이기적이지도 않은 줄로만 알았던 나의 가치관은 언제라도 벗겨질 수 있는 얇은 껍질 같은 것이었다. 다양성을 존중하고 소수를 인정한다는 포용적인 인류애는 그 일이 내 것이 아니었을 때만 적용되는 너그러움이었다. 사회적 이슈가 내게 닥치자마자 '어떻게 그럴수 있어!' 하고 본색을 드러냈다. 그 꼴을 민규에게 고스란히 들켰다.

아무리 그래도 그렇지, 민규가 연락을 뚝 끊은 건 도저히 이해할 수 없었다.

'충격 받았냐? 뭐 어쩌겠어? 잊어버려.'

'너, 완전 꽉 막혔어! 실망이다.'

이렇게 퍼부으면 끝날 것을, 민규의 침묵이 계속 마음에 걸렸다.

꼭 한 번 민규에게 연락을 한 적이 있었다. 문자를 보내려다가 답을 기다리는 초조한 시간이 싫어서 전화를 했다. 밤 11시면 민규가 집으로 돌아와서 휴대폰을 보며 야식을 먹고 있을 시각이었다. 통화 연결음이 열 번쯤 울렸을 때 민규가 전화를 받았다.

주위의 소음이 들렸지만 민규는 어, 하고는 말이 없었다. 먼저 전화를 했으니 나는 무슨 말이든 해야 했다. 적당한 말을 고르는데 다른 사람의 목소리가 희미하게 들렸다. 누군데, 뭔데, 하는 말소리에 후다닥 종료 버튼을 눌렀다. 민규 집에 있는 남자는 민규 말고는 민규 아빠밖에 없었다. 아저씨는 우리 아빠처럼 아이들이 말 붙이기 편한 사람이 아니었다. 민규가 통화하기 곤란한 상황일 거라고 짐작했다. 하지만 곧 그게 아니라는 걸 깨달았다. 휴대폰 너머가 시끄러웠으니 민규는 집이 아니었다.

시험이 바짝 다가온 어느 날, 갑작스럽게 눈이 내렸다. 폭설은커녕 눈이 올 거라는 일기 예보조차 없었다. 5교시쯤부터 사방이 어두컴컴해지더니 눈이 퍼붓기 시작했다. 학교 전체가 신나서 들썩였는데 7교시를 남겨 두고 수업이 중단되었다. 폭설로 전국이 비상 상황이라고 했다. 모두 집으로 귀가하라는 방송이 나왔다. 운동장에는 종아리까지 눈이 차 있었다. 친구들과 깔깔대며 즐거워한 건 교문을 나서기 전까지였다.

집으로 가는 길은 극기 훈련을 방불케 했다. 인도는 치우지 못하고 있는 눈으로 발이 푹푹 빠졌고 도로는 엉킨 차들로 엉망이었다. 진작에 버스는 포기했고 걷는 것조차 쉽지 않았다. 눈이 그치지 않고 내리는데다 바람까지 불었다. 버스로 10분이면 도착할 거리를 40분이나 걸어야 했다.

상가를 지날 때 민규를 봤다. 늘 나를 기다리던 그 자리에 우산도 없이 서 있었다. 우리는 공원 놀이터로 갔다. 눈을 피할 곳은 통미끄럼틀뿐이었다. 우린 통미끄럼 안으로 들어가 옆으로 기대어 앉았다. 위아래로 뚫린 출입구가 기다란 공간의 창문 같았다. 동그랗게 뚫린 창문으로 보이는 눈 내리는 풍경은 고요했고, 덕분에 어색한 공기에 평화로움이 섞여 들었다. 자동차 경적 소리, 누군가를 부르는 소리, 개 짖는 소리……. 소리들이 지나면 다시 정적이 흘렀다.

"너, 살찐 거 알지?"

민규가 먼저 침묵을 깼다. 나도 질 수 없었다.

"넌 여드름 더 심해진 거 알지? 키는 그대로인 거 같은데?

"너나 커. 난 지금도 평균치야."

"나도. 이제 바지 사면 안 줄여."

"그래? 하긴 바지로 신발을 덮는 게 올겨울 유행이더라. 짧아서 못 입는 거, 너 줄게."

발차기 선공을 날렸지만 민규도 빨랐다. 둘 다 균형을 잃고 미끄러지면서 드러눕는 꼴이 되었다.

다시 자세를 고쳐 앉았다. 침묵이 길어졌다.

"눈이 내릴 때도 소리가 난대. 비가 올 때처럼."

"누가 그래?"

"군대 갔다 온 형이. 군대에서 눈 오는 소리 들었대."

"형 생겼어?"

"엉."

조금 서운했다. 반년도 넘게 안 만났으니 내가 모르는 일들이 있는 게 당연했다. 아마도 단짝 친구 자리에서 밀려났을 것이다.

눈 오는 소리는 들리지 않았다. 아무리 조용해도 도시에서는 듣기 힘들 거라고 그랬단다, 그 형이. 눈구름에 숨어서 간신히 빛을 내던 해마저 기울고 이젠 눈과 함께 어둠이 내렸다. 그리고 너무 추웠다.

다리를 문지르는 나를 보더니 민규가 핫팩을 왕창 꺼내 주었다.

"진작 주지. 핫팩 파는 알바해?"

"응."

"정말?"

"꽥! 감 떨어졌어."

나의 예능감이 떨어졌다는 뜻이었다. 핫팩을 패딩 양쪽 주머니에 하나씩 찔러 넣고 남은 하나로 다리를 문질렀다.

"음……, 예능감이 떨어졌는지는 몰라도 너 달라진 건 알아보겠다."

민규에게는 지난봄에 없던 뭔가 생겨난 듯했다. 내가 없어서 심심하다 못해 외롭게 보낸 것 같기도 하고, 고민이 있는 것 같기도 했다. 나에게 건네는 장난스런 말들도 예전처럼 탱글한 맛이 없었다. 그늘이라고 해야 하나. 깊어졌다고 해야 하나. 아무튼 지난가을 나무들과 함께 물이 들기라도 한 것인지 민규는 좀 진해져 있었다.

"뭔 일 있어, 큐규?"

부모님과 싸웠든, 친구와 골치 아프게 얽혔든, 기꺼이 이야기를 들어 줄 준비가 되어 있다. 원한다면 또 내 방에 숨겨 주고 끼니를 날라다 줄 수도 있었다.

민규가 세차게 앞머리를 털었다. 고민이 아니라 고백할 게 있다고 했다. 괜히 기대하지는 말라며 말끝에 웃음을 달았다. 그러더니 과한 들숨 날숨으로 분위기만 잡으며 시간을 끌었다.

"내가 좋아졌다고 고백해도 정 뚝 떨어지게 거절해 줄게."

한참 만에 하는 첫마디가 가관이었다.

"막내 사범님 기억 나? 네 오빠 삼고 싶다고 했던."

나는 핫팩을 던졌다.

"왜? 왜? 왜? 그 얘긴 왜 꺼내고 지랄이야."

반응이 과했다. 사귄 것도 차인 것도 아니었기에 아무렇지도 않을 줄 알았는데 나도 모르게 불쑥 화가 터져 나왔다. 어떤 사람인지도 모른 채 혼자서 마음이 달아올랐던 날들이 새삼스레 부끄러웠다.

"네가 이러면 나 말 못 해. 그때도 펄쩍펄쩍, 난리 쳤잖아."

"무슨 난리를 쳐? 그냥 황당하니까, 믿기 힘드니까, 하여간 그 얘긴 하지 마!"

하지만 민규는 그 이야기를 해야 한다고 했다.

"나 형모 형이랑 연락하고 지내."

"형모? 음, 이름이 그랬나, 엉? 둘이? 왜?"

띄엄띄엄, 주저하며 말하는 건 민규답지 않았다. 참아 가며 침착하게 기다릴 나도 아니었다. 그날 이후 연락을 끊은 이유도 이번에 몽땅 캐묻기로 했다.

"그냥 다 말해. 셋 셀 동안 말 안 하면 더 이상 못 참아!"

나는 주머니에서 손을 뺐다. 양손에 핫팩을 들고 던질 준비를 했다.

민규가 읊조렸다.

"형은 나랑 같은 사람이야. 아니, 난 형과 같은 사람이야."

내 표정을 살피더니 민규가 어깨를 으쓱했다.

"너에게 가장 먼저 말하고 싶었어. 그날 말하려고 했는데, 네가 형모 형 이야기 듣고 너무 놀라더라고. 나도 그렇다고 하면……, 지금도 그래. 이상한 놈 취급할 거라는 거 알아. 그래도 말하고 싶었어."

내 눈알이 요리조리 굴러다녔다. 갑작스레 머리를 써야 할 때 나타나는 현상이었다.

민규는 자신과 같은 사람을 직접 만나긴 처음이라고 했다.

"SNS를 보고 알았어. 형모 형한테 어렵게 털어놓았는데, 이것저것 이야기 많이 해 주더라. 자기는 중학교 때 알고 많이 힘들었다고."

갑자기 몸이 떨렸다. 찬바람이 덩이째 목덜미 안으로 쑥 밀려드는 것 같았다.

민규도 자신에 대해 안 건 중학교에 입학하고 나서라고 했다. 도장을 그만둔 것도 같은 이유에서였다.

"사람들이랑 있는 게 싫더라고. 들킬 것만 같고, 나도 모르게 실수를 할 것 같고, 그러면 다 까발려지게 되니까."

스스로를 의심하고 혼란스러워하는 건 여전히 진행 중이라고 했다.

"엄마 아빠가 알면 뭐라고 할까? 죽도록 팰까? 쫓아낼까? 형은 고등학교 졸업할 때까지 부모님에게 끌려 이 병원 저 병원 다녔대. 검사받고 또 검사받고, 상담하고. 그러다가 재수해서 대학 가면서 완전히 독립했대. 집에 연락도 잘 안 한대. 나도 비슷하겠지? 우리 엄마 아빠 사이 안 좋은 거 알지? 안 헤어지는 건 나 때문이거든. 어떻게든 날 고치려 들 거야. 지금 형은…….”

“야! 형 빼고 네 이야기만 해.”

“너한테는 말해도 된다고 허락받았어, 형에 대해서…….”

“알아들었으니까 형 이야기는 그만하라고.”

민규에 관한 것도 더 듣고 싶지 않았다.

내 생각을 눈치챘는지 민규가 더 이상 아무 말도 하지 않았다. 공기는 차가운데 속은 점점 끓어올랐다. 통미끄럼틀 안이 답답했다.

민규가 먼저 미끄럼틀 밖으로 나갔다. 온기가 충분히 남아 있는 핫팩을 안으로 던졌다. 밖이 깜깜했다. 민규의 무릎 언저리까지 눈이 찼다. 녀석의 다리가 보였다가 안 보였다가 했다.

“뭐라고?”

웅얼거리는 민규를 보려고 고개를 숙였다. 민규 얼굴이 통 안으로 쑥 들어왔다.

“형이 그랬어. 이제 막 출발한 인생인데 평생을 숨기며 살 수는 없다고. 어느 길로 갈지를 결정했으면 우선 마음 잘 통하는 한 명에게 말해 보라고 했어. 그게 시작이라고. 나는 지금이 시작인 것 같아.”

사랑 고백을 받은 것도 아닌데 심장이 세차게 뛰었다. 헤집어져 버린 정신을 수습하는 사이에 바깥의 기척이 사라졌다. 이 새끼, 또 멋대로 가 버렸다.

휴대폰이 깜빡였다. 아빠 전화였다. 부재중 전화가 일곱 통이다. 아빠는 이번에도 통화가 안 되면 실종 신고를 하려고 했단다.

"놀이터 어디? 아까 놀이터 다 둘러봤는데?"

"뭔 걱정이야? 눈 와서 민규랑 놀았어."

아빠는 나를 혼자 두고 간 민규에게 무심한 놈이라고 했다. 데리러 오겠다고 했다. 아빠가 도장의 모든 아이들을 배웅하고 때론 마중 나가기도 했지만, 나에게 그렇게 한 적은 없었다.

무심한 놈은 갑작스러운 폭설처럼 찾아와서 자신을 훤히 드러내 놓고 사라졌다. 기분이 이상했다. 길을 잃은 것 같기도 하고, 텅 빈 교실에 혼자 남겨진 것 같기도 했다.

밖으로 나오니 민규가 남긴 발자국이 어지럽게 흩어져 있었다. 그 서성임을 내가 헤아렸어야 했나 보다.

'야, 너 그랬던 거야? 그랬구나.'

'괜찮아, 이해해. 그럴 수도 있지, 뭐.'

'뭔 상관? 하고 싶은 대로 해.'

아무렇지도 않은 척이라도 할 걸 그랬나? 하지만 나는 현실의 나였다. 결국 퉁명스럽게 내지르고 말았다.

"너도 당황스러웠잖아. 그러니까 나한테 당장 어떻게 하라고 하지 마. 몰아대지도 말고 강요하지도 말라고."

들어줄 사람이 없는 혼잣말은 맛이 안 났다.

민규를 잘 안다고 생각했다. 아니, 잘 알았다. 유치원 때부터 거의 매일 봤다. 학교에서 마주치지 않은 날에도 도장에 가면 만날 수 있었다. 기억 속 민규를 시간의 역순으로 되짚어 봐야 하나? 몰랐으면 좋았을까? 어릴 적부터 발차기로 다져진 그대로, 그 이상의 것들은 모르고 지내도 상관없을 것이다. 하지만 민규는 내가 알아주길 바랐다. 어지럽게 흐트러진 발자국이 민규의 마음속 같았다.

소나무 아래 벤치로 갔다. 소복한 눈 쿠션은 엉덩이를 내려놓기 무섭게 폭삭 가라앉았다. 패딩 주머니로 들어온 눈이 손에 닿자마자 녹아서 물이 되었다.

문득 깨달았다.

'우리 오빠를 뭐로 보고!'

지난봄, 내가 뱉어 버린 말이 민규에게는 너무 날카로웠을 것이다.

사실 그날 이후, 나는 끊임없이 막내 사범에게서 내가 보지 못한 다른 뭔가가 있을 거라고 여겼다. 가령 평범함의 범주에 속해 있지 않은 무엇들. 아빠와 다른, 여느 사범과 다른, 주변 남자들과 다른, 분명 눈에 띄는 포인트를 가지고 있을 거라고 생각했다. 편견은 그렇게 만들어지고 굳어지는 것이었다. 그게 편견이라는 것도 몇 달이 지난 후에야 알아차렸다. 지금도 나는 비밀을 털어놓은 민규에게서 달라진 점을 찾으려 하고 있었다. 만나지 못한 사이에 민규가 문을 열고 자신의 세계를 넓힌 것뿐인데 말이다.

민규는 그냥 민규였다. 나뭇잎들이 알록달록 단풍이 드는 건 그제야 자기가 지닌 고유의 빛깔을 내어놓기 때문이라고 한다. 민규 또한 달라진 게 아니라 제 빛깔을 찾고 있었다.

후유, 더운 입김이 찬 공기에 밀려 순식간에 사라졌다. 어른이 된다는 건 드라마와 영화에서 본 일들을, 때론 본 적도 없는 장막 너머의 세상을 내 것으로 인정하는 것인지도 모른다. 민규의 세상은 이미 존재했지만 내가 보지 못한 곳이었다. 민규는 용기를 내어 처음으로 나에게 자신의 세상을 열어젖혔다.

머리카락을 손가락으로 슥슥 모으고 빗어서 다시 묶었다. 벤치에서 일어나자 기다렸다는 듯 뒤에 있는 나뭇가지에서 눈덩이가 쏟아졌다.

곱은 손가락으로 휴대폰을 두드렸다.

_말해 줘서 고맙다, 큐규!

너의 시작을 인정하겠어. 적극 응원할지는 좀 더 생각해 보기로.

동생년

호기롭게 문을 박차고 나왔지만 처음부터 마음을 먹은 것은 아니었다. 무작정 걷다 보니 아빠 집으로 가고 있다는 것을 깨달았다. 얼굴이 벌겋게 익고, 온몸이 땀으로 젖었다. 오기가 생겼다. 기꺼이 엄마 뜻에 따라 주기로 했다. 내가 정말로 아빠 집으로 간 걸 알면 엄마는 쩔쩔맬 것이다. 어쩌면 나에게 사과할지도 모른다.

세 시간을 걸어서 아빠가 사는 동네까지 왔다. 휴대폰이라도 들고 나와서 다행이었다. 생일 때 받은 모바일 쿠폰으로 아이스 아메리카노를 두 잔이나 사서 양손에 들고 마셨다. 얼음을 와작와작 씹어도 기분이 나아지지 않았다. 구겨진 마음은 습한 밤공기에 눅눅하게 변질되었고, 급기야 비까지 내려서 내 꼴을 비참하게 만들었다.

휴대폰에 부재중 전화 표시가 다섯 개나 있었다. 엄마가 두 번, 아빠가 세 번 전화를 했다. 아빠가 적절한 순간에 연락을 한 걸 보니 엄마에게 어젯밤 내가 한 일을 전해 들은 게 틀림없었다. 이로써 내가 아빠에게 가기를 바라는 건 엄마의 진심이었다는 게 확인되었다. 아빠는 문자까지 했다. 학원 간 딸을 기다리듯 아무렇지도 않은 척했지만 시간 차를 두고 보낸 것들을 한꺼번에 읽어 보니 구구절절한 말들이 아빠답지 않았다.

_피자 먹자.

_시켰어. 스윗 포테이토 골드 라지.

_비 온다, 어디야?

_올 거지? 남겨 둔다.

처음으로 아빠 집에 가는 것이다. 그동안 기회는 있었지만 가지 않았다. 근처까지 왔다가 돌아간 적도 몇 번 있었다.

현관 벨을 누른 건 마지막 문자를 받고 20분쯤 지난 후였다. 피자가 배달되기를 기다렸다가 시간 맞춰 온 것 같아서 괜히 자존심이 상했다. 오지 말걸, 더 늦게 올걸, 아니야, 보란 듯이 왔잖아, 일단 들이밀어 봐, 살러 온 것도 아니잖아. 문이 열리기까지 마음이 수십 번 바뀌었다.

의도치 않았지만 꽤 불쌍한 몰골이었나 보다. 비에 쫄딱 젖은 나를 본 그들이 놀랐고, 나는 그들보다 더 놀랐다. 내 앞엔 아빠를 포함해 세 사람이 나란히 서 있었다. 아니, 네 사람이라고 해야 하나? 아빠 집에 나보다 큰 아이가 있다는 걸 아무도 말해 주지 않았다. 그리고 아줌마 배가 티셔츠를 꽉 채운 아빠 배보다 더 불러 있었다.

주춤 뒤로 물러났다. 꺾어 신은 스니커즈 운동화에서 찌걱, 물소리가 났다. 역시 오지 말 걸 그랬다.

"잘 왔어."

아줌마가 맨발로 나와서 내 팔을 잡았다. 등 뒤로 삐리릭, 현관문이 잠겼다.

나는 멍하니 아빠를 쳐다봤다. 씨익 웃는 아빠 표정이 어색했다. 아빠와 함께 사는 사람이 있다는 걸 안 건 중학교 입학하던 해였다. 그래서 오늘 예상은 아줌마를 보겠구나, 딱 거기까지였다.

요즘 엄마는 나와 싸울 때면 매번 같은 화살을 날렸다. 오늘은 꽤 진지했다. 아니, 강요하는 것처럼 들렸다.

"아빠에게 가. 거기서 잠깐 지내."

엄마가 양손으로 눈썹 옆을 꾹꾹 누르며 토해 내듯 한 말이 내 심장에 정확하게 꽂혔다.

"가라면 못 갈 줄 알아?"

"짐 챙겨서 가."

엄마 목소리가 낮고 차가웠다. 이젠 대놓고 나를 귀찮아했다. 내쫓는 것이었다. 분하고 억울해서 씩씩거리기만 하다가, 엄마가 해외여행에나 필요할 것 같은 커다란 캐리어를 꺼내 오는 것을 보고 발딱 일어나 밖으로 나와 버렸다.

귀찮아할 거면서 왜 맡았어? 둘이 갈라설 때 말했어야지, 꺼지라고, 눈앞에서 사라지라고. 5년 동안 엄마만 힘들었어? 나도 힘들었다고. 여기서도 저기서도 헤헤 웃어야 하고, 잘 지내는 척, 다 좋은 척하는 나를 생각해 봤냐고! 엄마랑 살면서 행복한 척, 아빠 만날 땐 즐거운 척, 이혼 가정 같은 건 아무렇지도 않은 척, 척하는 거 진짜 싫어. 그래도 엄마가 나 때문에 힘들어하니까, 아빠가 우리 딸, 우리 딸, 하며 나를 보고 싶어 하니까 참은 거야.

이곳까지 걸어오는 동안 하고 싶은 말은 차고 넘쳤다. 눅진한 여름밤 바람이 토 하나 달지 않고 내 말을 들어 주었다.

손에 피자를 들고 있던 아이는 내가 들어갈 방문을 손가락으로 가리켰다. 아줌마가 내 등을 밀었다. 얼떨결에 들어간 방엔 눈에 익은 가방과 캐리어가 있었다. 내 짐들이었다. 엄마는 나를 아빠에게 완전히 넘겨 버렸다. 치밀어 오르는 화를 누르느라 고개를 떨구었다.

아이가 수건을 발밑에 툭 던지고는 슥슥 문질렀다. 내 몸에서 물이 떨어지고 있었다.

"해진아, 우선 씻어야겠다."

아빠가 내 눈치를 살폈다. 아줌마는 나에게 따라오라고 했다. 화장실 앞에서 아이가 갈아입을 옷을 건네주었다.

"엉니, 피자 세 조각 남겨 뒀어."

어이가 없었다. 나에게 언니란다. 내가 엄마를 닮아서 체구가 좀 작긴 하지만 그 아인 나보다 한 뼘이나 컸다. 길쭉길쭉한 팔다리에다 옷을 챙겨 주는 게, 누가 봐도 고등학생 같아 보였다.

옷을 입은 채로 샤워기 밑에 쪼그려 앉았다. 몸이 떨릴 때까지 차가운 물을 맞았다. 아무 일도 일어나지 않았는데 엄청난 걸 목격했다. 아빠가 내 또래에다가 곧 태어날 아기까지 둔 완벽한 가정을 이루고 사는 줄 몰랐다. 엄마는 이런 사실을 알고도 나를 보냈다. 일부러 그런 것이다.

아줌마가 괜찮냐고, 필요한 게 없냐고 노크를 했다. 일어나서 얼굴을 벅벅 문질렀다. 절망스러운 표정부터 씻어 냈다.

머리에 수건을 두르고 나가자 셋이서 식탁 한 자리씩을 차지한 채 나를 기다리고 있었다.

아빠는 엄마에게 전해 들은 이야기를 한마디로 요약했다.

"임해진, 친구 집에서 잔다고 거짓말하고 남자애들이랑 놀다가 경찰서 갔다며?"

꼭 이 자리에서 다 까발려야 해? 소리치고 싶어서 입속이 근질근질했다. 사실이지만 사실이 아니었다.

어제는 여름 방학을 하는 날이었다. 미래네 집에서 자기로 한 것도, 남자애들이 있었던 것도, 경찰이 온 것도 맞다. 하지만 남자애들은 미래네 아파트 근처에서 우연히 만났고, 아이스크림으로 장난을 치는 바람에 끈적이는 것을 씻으려고 남자애들까지 미래네 집으로 우르르 들어온 거였다.

그중 한 남자아이와 미래가 휴대폰으로 찍은 사진을 두고 옥신각신했다. 몇 명이 합세하자 쫓고 쫓기는 잡기 놀이가 되어 버렸다. 안방 침대를 넘어 베란다로, 다시 거실로 들어갔다가 작은 방으로 나왔다. 그러다가 휴대폰이 창밖으로 떨어졌고, 앞 동에서 창문에 우르르 매달린 우리를 보고 경찰을 불렀다. 경찰보다 먼저 온 건 아파트 관리원이었다. 층간 소음 신고가 들어왔다고 했다.

그러니까 우연에 우연이 거듭되어 시끄러워진 것뿐이었다. 경찰은 우리 사이에 있었던 일이 집단 괴롭힘인지, 폭력까지 있었는지를 캐물었다. 당연히 우린 모든 것에 "아니요."라고 했다. 그냥 장난을 치고 놀았다는 대답에 벌써 말을 맞춘 것이냐고 의심을 받았다. 신고 내용처럼 우리는 누군가를 괴롭히지 않았고 난간으로 몰아서 겁을 준 적도 없었다. 경찰은 보호자 없이 집에 둘 수 없다며 각자 집으로 가든지, 지구대에 가든지 선택하라고 했다. 몇 명은 반발을 했지만 나랑 미래와 남자아이 둘은 경찰을 따라갔다. 그저 지구대를 구경하고 싶었을 뿐이었다.

"엉니, 진짜 경찰서 갔어?"

아이는 자신의 존재를 드러내지 못해 안달이 난 듯 엉거주춤 서 있는 나를 제 옆에 끌어다 앉혔다. 내가 힐끔거려도 눈에 매단 호기심을 거둬들이지 않았다.

아빠가 아줌마를 소개했다. 아줌마가 잘 지내자고 했다. 눈꼬리가 처진 순한 첫인상이 나쁘지 않았다. 나는 꾸벅 고개를 숙였다.

"지원이는 중학교 2학년이야. 같은 중학생이니까 말이 통할 거야."

아이는 나에게서 눈을 떼지 않았지만 나는 모른 척 피자를 집어 들었다. 모두가 너무 빤히 보고 있어서 물 한 모금도 넘기지 못할 것 같았는데, 아니었다. 처음엔 억지로 입에 욱여넣었지만 먹다 보니 어느새 콜라와 함께 피자 세 조각을 다 먹어 치웠다.

아빠가 냉장고에서 수박을 꺼내는 것을 보고 나는 그만 먹겠다고 일어났다. 그러자 아이가 재깍 일어나 또 방을 가리켰다. 이런 걸 두고 친구들끼리는 나댄다고 한다. 묻지도 않았는데 치고 들어오고, 시키지도 않았는데 앞서 나가는 꼴이라니. 나보다 어린 걸 알고 나니 행동 하나하나가 유치하게 보였다.

아빠가 나에게 좀 더 앉아 있으면 좋겠다고 했다. 대답을 하지 않고 가만히 서 있자 아줌마가 나섰다.

"이야기는 내일 하고, 편하게 쉬어. 필요한 거 있으면 말하고. 엄마는……, 걱정하지 말고."

아줌마가 뭔 상관이란 말인가. 엄마는 내 짐을 이쪽으로 보내자마자 손을 털고 맥주 캔을 땄을 것이다. 어쩌면 이모들까지 불러서 축하를 하고 있을지도 모른다.

"아빠가 가방 가져왔어?"

"그럼 누가 가져왔겠냐. 뭘 그리 많이 쌌는지 엄청 무겁더라."

'억지로 떠맡은 내 존재가 무거운 거겠지.'

머릿속으로는 맞받아칠 말이 재깍재깍 생각났는데 이상하게 입 밖으로 나오지 않았다. 아줌마에게 좋은 인상을 남기고 싶은 것인지, 아빠의 체면을 깎고 싶지 않은 것인지, 어쩌면 둘 다일 수도 있었다.

아줌마가 이불을 가지고 왔다.

"침대는 인터넷으로 사자."

"침대는 무슨……. 날 주저앉힐 작정이야, 뭐야?"

아줌마는 그대로 나갔지만 아이가 웅얼거리는 내 말을 들었나 보다.

"엉니, 뭐라고 했어?"

이제 알겠다. 뭐가 그토록 거슬리는지. 아이는 '언니'가 아닌 '엉니'에 가까운, 혀가 말리는 요상한 한국어를 구사하고 있었다. 찢어질 듯 가느다란 고음에다 목소리도 컸다.

"엉니, 짐 구경하고 싶엉."

"엉니, 옷 많아? 화장품은?"

언니를 가져 보는 게 평생소원이라도 되는 것처럼 나에게 찍찍 달라붙었다. 아줌마와 닮은 눈꼬리를 축 늘어뜨리고 천연덕스럽게 웃기까지 했다. 동생을 원한 적도 없지만, 이 아이만은 절대로 동생으로 삼고 싶지 않았다. 처음 본 사이에 살랑대는 건 정말이지 끔찍했다.

온몸으로 내뿜는 소리 없는 욕을 느낀 아이가 조용히 방을 나갔다. 밖에서 조잘대는 소리가 들리더니 아빠와 아줌마 웃음이 이어졌다. 한참 만에 방으로 들어오면서 "엄마 아빠, 잘 자.", 인사를 몇 번이나 했다. 소름이 끼쳤다. 나는 다섯 살 때도 저렇게 몸이 배배 꼬이는 말은 하지 않았을 것이다.

또다시 '엉니'를 부르기에 나는 거칠게 이불을 펼치고, 깔고, 베개를 퍽퍽 두드렸다. 벽을 향해 돌아누워서 이어폰까지 귀에 꽂았다.

다음 날 새벽 6시쯤 아빠와 아줌마가 출근을 했다. 둘이 운영하는 카페에는 모닝커피를 찾는 직장인이 많아서 매일 이 시간에 나간다고 했다. 아이도 아침에 학원에 갔다. 덕분에 집은 저녁까지 내 차지가 되었다. 집 구경 같은 건 그만두었다. 아빠가 다른 사람과 이루어 놓은 세세한 것들을 굳이 확인하고 싶지 않았다. 심심해서 아이 옷장을 열어 보긴 했다. 어리광에다 콧소리나 내는 수준에 딱 어울릴 만한 옷들뿐이었다. 다만 바지가 죄다 내 것보다 길어서 부러워지려고 했다.

낮에 아빠가 어떠냐고 전화를 한 것 말고는 아무도 나를 간섭하지 않았다. 휴대폰 너머의 아줌마는 먹고 싶은 것과 필요한 것이 있는지만 묻고 통화를 끝냈다. 간단명료해서 좋았다. 심지어 엄마도 연락을 하지 않았다. 나를 내버려 두기로 다 같이 말을 맞춘 게 틀림없었다. 나에게 이래라저래라 어쩌고저쩌고 귀찮게 하는 건 아이뿐이었다.

"엉니, 아기 옷이나 장난감 사 본 적 있어? 나는 아니고 다른 사람이 물어봐서."

빤히 보이는 핑계를 대면 자신이 귀여워 보일 거라고 여기는 걸까. 나는 아이가 피할 때까지 눈으로 불꽃을 날렸다. 책은 이쪽에, 옷은 여기에, 하며 아량을 베풀 듯이 자기 영역을 내어 주는 게 아니꼬웠다. 30분이나 기다려서 마카롱과 팥빙수를 사 왔다고 생색을 낼 때는 그러려니 하고 받아먹었다. 하지만 나와는 연관을 짓지 말아야 할 것을 묻는 건 잠자코 들어 줄 수가 없었다. 특히 태어날 아기에 대해서는 말이다.

아이는 내 눈길을 피하는 듯하더니 다른 것을 물었다.

"그럼, 아빠는 뭐 좋아해? 남자 어른들 말이야."

"야! 그게 왜 궁금한데? 울 아빠가 뭘 좋아하든 네가 뭔 상관이야!"

아이 눈동자가 흔들리더니 재깍 의자를 빙그그르 돌려 앉아 등을 보였다. 가방에서 문제집을 투덕투덕 꺼내고는 샤프를 또깍또깍 눌렀다. 상대의 반응에 둔한 것인지 그런 척하는 것인지, 그나마 화를 내면 알아들었다. 하여간 얘는 좀 문제가 있어 보였다.

"너, 학교에서 따지? 왕따!"

사람 속 긁는 거, 너만 할 수 있는 게 아니란다.

"초딩 때부터 그랬니? 그거 한번 찍히면 벗어나기 힘들다. 애들이 왜 그러는지 이유를 모르지? 나라도 너랑은……."

"아닌데? 나, 친구 많아. 볼래?"

아이는 기다렸다는 듯 주르르 의자를 밀고 와서 내 앞에 휴대폰을 들이밀었다.

"학원 버스에서 내려서 집까지 걸어오는 동안에 열어 보지 않은 문자가 27개야. 내용도 보여 줄까? 분명 이 톡방에서는 내일 학원 가기 전에 간식으로 뭐 먹을까 얘기 중일 거야. 매일 이때쯤 정하거든. 또 이 톡방은 워터 파크에 가는 것 때문이고."

나불대는 아이의 휴대폰을 쳐 내자마자 나는 비명을 지르며 주저앉았다.

아빠 집에 온 지 사흘 만에 대형 병원 야간 응급실에 갔다. 휴대폰이 발등으로 떨어져서 뼈에 살짝 금이 갔다. 발가락부터 종아리까지 깁스를 했다. 3주는 꼼짝 않고 있어야 빨리 낫는다고 했다.

집으로 오며 아빠는 돌아다니면 깁스를 더 오래 해야 한다고, 의사가 하지도 않은 말로 겁을 주었다.

"그래도 방학이라서 다행이다."

"다쳤는데 뭐가 다행이야? 내가 다친 게 좋아? 아빤 왜 그래? 더운데 계속 이러고 있어야 한다고! 아, 짜증 나."

내가 쏘아붙이자 아빠가 더 이상 말을 하지 않았다. 주차를 하고 차 문을 열어 나를 부축해서 내려 주었다.

"엄마한테도 매일 이렇게 했어? 소리 지르고?"

"난 하고 싶은 말도 못 해? 엄마는 나한테 안 그런 줄 알아? 왜 나만 갖고 그래?"

나는 노려보는 아빠를 앞질러서 집으로 들어갔다.

아이는 깁스한 나를 보더니 "엉니, 많이 아파?"가 다였다. 굳이 따지자면 아이의 잘못이 아니지만 그래도 나에게 미안하다고 해야 하는 거 아닌가.

대신 아이는 매일 간식을 들이밀었다. 오늘은 아이스크림을 올여름 새로 나온 맛으로 골라 왔다. 나는 조금 전 놀이터에서 아이스크림을 먹었다. 돌아다니지 말라고 했지만 하루에 한 번 놀이터까지만 갔다가 왔다. 안 먹겠다고 했는데도 아이는 기어이 포장지를 까서 내 손에 쥐여 주었다. 다 먹기를 기다렸다가 빈 막대를 가져갔다. 별로 고맙지 않았다.

"엉니, 엉니가 설거지랑 세탁기 돌리는 것만 맡아 줘. 그거 하는 데 한 시간도 안 걸려. 빨래는 바닥에 앉아서 세탁기에 넣고, 설거지는 제자리에 서서 하는 거니까 깁스한 거랑은 아무 상관 없잖아. 내가 와서 해도 되는데, 나보다 엄마가 먼저 오니까 분명 엄마가 할 거란 말이지. 요즘 엄마가 많이 힘들어해."

간식은 사과가 아니라 뇌물이었다. 제가 할 일을 나에게 떠넘겼다. 거절도 못 하게 임신한 아줌마를 내세웠다. 임신을 하면 힘들고 피곤하다는 건 대충 안다. 언제쯤 아이가 태어나는 걸까, 살짝 궁금했지만 이내 머릿속에서 지워 버렸다.

다음 날 내가 고르지도 않았는데 침대가 왔다. 침대 두 개가 들어차서 방이 더 답답해졌다. 집 밖은 너무 더웠고, 깁스한 곳이 가려워서 미칠 것 같았다. 모든 게 짜증스러웠다. 뾰족한 것으로 깁스 안쪽을 긁는 건 한계가 있었다. 발바닥과 깁스 사이로 미니 선풍기 바람을 불어 넣었다. 자다가도 그 짓을 했다. 짜증이 가라앉질 않았다. 그걸 본 아이가 미니 청소기를 가져왔다. 흡입구에 좁고 가느다란 관을 끼운 뒤 그 끝을 깁스 안에 넣고 스위치를 올렸다.

잠시 후 나도 모르게 탄성이 터져 나왔다. 시원하고 후련했다. 지금까지 해 본 것들 중 가장 만족스러웠다.

"야, 천잰데!"

칭찬이 절로 나왔다.

"내 머리는 아니고, 초록창 머리."

인터넷 검색의 결과라는 것이다.

나에게 시원한 해결책을 주었으니 설거지와 세탁기 돌리기를 하기로 했다. 엄마 집에서 늘 하던 일이어서 새로울 것도 없었다.

아줌마가 오는 저녁이면 아파트 놀이터에 나와 있다가 아빠가 올 때쯤 들어갔다. 셋이 있는 것도 어색하지만 둘이 있는 것보다 낫다. 그나마 마음이 편한 건 시끄럽게 떠들어 대는 아이까지 함께 있을 때였다.

엄마 집에 있었다면 수시로 휴대폰이 울렸을 것이다. 일어났는지, 밥 먹었는지, 발은 안 아픈지. 아니다, 엄마와 함께 있었다면 발을 다치지 않았을 것이다. 어쨌든 엄마는 출근을 해서도 시시콜콜 나를 체크했다. 지금은 관심을 끊은 척 연락을 하지 않고 있지만 아빠에게서 내 일상을 캐고 있는 거, 다 안다. 어쨌든 간섭하는 사람이 없으니 좋기만 했다. 미래는 학원에 안 가는 나를 부러워했다.

평소처럼 7시에 놀이터로 나왔다. 그런데 미래가 나를 기다리고 있었다. 낮에 문자로 만나자고 하기에 '오든지 말든지'라고 했는데 정말로 왔다. 미래는 내가 아빠 집으로 온 뒤 하루도 빠지지 않고 연락을 해 왔다. 이유는 단 하나, 돈을 받으려는 것이다.

"나, 여기 오는 거 어떻게 알았어?"

"네가 그랬잖아. 저녁마다 놀이터에서 아이스크림 먹는 재미로 산다고."

미래가 휴대폰을 꺼내더니 화면에 계산기 앱을 띄웠다. 새 휴대폰이었다. 지난번 경찰이 집에 온 날 베란다에서 떨어뜨린 휴대폰의 액정이 깨져서 새 것으로 바꿨다고 했다.

"자, 봐. 저번 겨울 방학 때 머리 자르러 갔다가 염색까지 하는 바람에 돈 모자란다고 빌려 간 거 삼만 육천 원. 그리고 봄에 촉촉 틴트 산 거 이만 천 원, 맞지? 시험 끝나고 마라탕 먹고 코인 노래방 간 거 만 삼천오백 원. 그리고 우리 집에서 자기로 한 날 반바지 산다고 해서 이만 팔천구백 원. 그래서 구만 구천사백 원."

미래는 사백 원은 떼고 구만 구천 원만 달라고 했다.

"내가 이사를 갔어? 전학을 갔어? 돈 생기는 대로 갚겠다니까."

"야, 나도 이러고 싶겠어?"

미래는 남자 친구와 워터 파크에 가기로 했는데 용돈이 만 원도 남지 않았다고 아기처럼 칭얼거렸다. 휴대폰을 바꾼 데다가 남자 친구와의 첫 만남을 위해 옷과 화장품과 워터 파크용 아이템까지 왕창 사서 부모님께는 천 원도 더 받아 내지 못한다고 했다.

나는 주머니를 까뒤집어서 이천삼백 원을 미래 손에 쥐여 주었다.

미래는 작정을 하고 왔는지 물러나지 않았다. 혼자서만 좋아하던 남자 친구와의 첫날을 망칠 수 없다며 무슨 일이 있어도 돈을 마련해야 한다고 했다.

"네 명이서 간다며? 그렇게 만나는 게 어떻게 첫날이냐? 걔, 너랑 둘이 만나는 거 싫어서 그러는 거 아니야?"

미래는 싫어서가 아니라 쑥스러워서 그러는 거라며 남자 친구 편을 들었다.

"설거지한댔지 ? 다른 일도 해서 아줌마한테 용돈 달라고 해. 아님 아저씨 카페에서 일하고 알바비 받으면 되잖아. 해진아, 임해진! 제발, 내 돈!"

미래는 무릎까지 꿇을 기세였다.

"누가 안 준대? 준다니까! 기다리라고! 그리고 나 다친 거 안 보여? 아무리 돈이 중요해도 그렇지, 괜찮냐고 한마디 해 줘야 하는 거 아니야?"

"야, 그건 전화로 몇 번이나 말했잖아. 괜찮다며, 멀쩡하다며? 그리고 동생년이 수발든다며?"

"직접 보고 말하는 거랑 같아? 난 네가 엄청 놀랄 줄 알았는데, 아니네. 내가 우리 우정을 과대평가했나 봐."

미래가 일어나려는 나를 눌러 앉혔다.

"내가 이것까진 안 하려고 했는데, 다음 주 목요일까지 안 갚으면 아줌마랑 아저씨 찾아갈 거야."

"정말 이러기야?"

미래는 협박이 아니라며 진지하게 말했다.

"아줌마, 네 엄마 말이야, 연락처도 알고 아저씨 카페도 안다는 거 잊지 마."

"미친년, 그러기만 해. 애들한테 까발려서 인성 쓰레기 소리 듣게 해 줄 테니까."

내가 노려보자 미래가 훌쩍훌쩍 울기 시작했다.

"야, 난 그냥 빌려준 돈 달라는 거잖아, 흐흐흑. 저번부터 계속 부탁했잖아. 너, 나한테 왜 그래? 그리고 이 방법은 애들이 알려 준 거야. 부모님한테 받으라고."

나만 빼고 저희끼리? 지금 왕따당하는 건가. 나는 벌떡 일어나 아이스크림 막대를 집어 던졌다.

"알았어! 알았어! 알았다고! 다음 주 목요일에 와!"

"그래도 애들한테 네가 아빠 집으로 간 건 말 안 했어. 부모님 이혼한 것도. 난 비밀은 지킨다고!"

나에게 내쳐지기 싫은 미래의 변명이었다. 미래가 이미 친구들까지 다 포섭해 놓은 걸 보면 돈이 절실하긴 한 모양이었다.

나라고 안 갚고 싶겠는가. 미래는 돈을 빌려준 거 말고도 나를 잘 챙겨 주었다. 함께 있을 때면 삼각김밥도 음료수도 컵라면도, 뭐든 두

개를 사서 나눠 주었다. 그리고 무엇보다 비밀은 비밀로 간직했다. 인성 쓰레기라는 타이틀은 배려심 많은 친구의 돈을 갚지 않고 있는 나에게 먼저 올 것 같았다. 나도 친구 돈을 떼어먹는 년으로 남기는 싫었다.

작년까지 이렇게 가난하지 않았다. 학원비를 결제해야 할 카드로 해외 직구 신발을 산 게 들통나고부터 용돈이 끊겼다. 신발값을 내 용돈으로 채우고 있는 중이었다. 엄마는 버스 카드에 교통비를 충전해 주는 것 말고는 돈을 주지 않았다. 아니다, 주긴 했다. 많이 줘 봤자 만 원. 아껴 써, 줄 때마다 따라붙는 말이었다. 만 원으로 며칠을 연명해야 하는 나는 미래에게 돈을 꿀 수밖에 없었다.

아무리 그래도 새벽부터 저녁까지 일하는 아줌마에게 설거지값을 계산해 달라고 할 만큼 뻔뻔스럽지 않았다. 아줌마에게 먼저 말을 건 적도 없으면서 돈을 달라고 하면 나를 어떻게 볼지 뻔했다. 아빠 카페는 코딱지만 해서 아르바이트생은 필요 없었다. 생각해 보니 아르바이트생에게 주는 비용을 줄이려고 아줌마가 아빠와 함께 새벽같이 나가는 것이었다.

오늘은 아이가 일찍 돌아와 있었다. 배가 아프다며 책상에 뺨을 댄 채 휴대폰을 뒤적였다.

나는 몇 번을 망설이다 말을 걸었다.

"야, 너 돈 있어?"

"응."

목소리에 힘이 없는 걸 보니 정말 아픈 것 같았다.

"얼마나?"

"알 거 없어."

어쩐지 예민한 돈 얘기에 순순히 답하더라니. 그래도 이왕 꺼낸 말이니 포기할 수 없었다.

"지원아, 얼마 있는데?"

이름을 부른 효과가 있었다.

"조금. 근데, 다음 달에 쓸 거야."

그 돈을 내가 먼저 쓰고 싶었다. 다음 달은 다음 주에 시작된다. 다음 달 언제쯤 쓸 것인지, 어디에 쓸 것인지, 얼마나 가지고 있는지 물었다. 하지만 대답은 다 똑같았다. 비밀. 비밀. 비밀.

"벼르고 벼르던 일을 다음 달에 할 거야."

지원이는 아무도 모르게 뭔가를 하려는 것 같았다. 치사하지만 나도 미래가 쓰던 수법을 써먹기로 했다.

"다음 달에 무슨 일이 있는지 아빠한테 물어볼까 봐."

책상에 널브러져 있던 지원이가 벌떡 일어나서 소리를 빽 질렀다.

"하지 마!"

책상까지 팍, 치는 바람에 나도 비명을 터뜨렸다.

거실에 있던 아줌마가 방문을 열었다. 지원이는 침대로 가 이불을 덮어썼다. 아줌마가 무슨 일이냐는 듯 나를 봤다. 내가 뭘 어쨌다고? 억울했다. 아줌마가 나간 후에도 지원이는 꼼짝하지 않았다. 아빠가 오고, 내가 씻을 때까지 이불을 뒤집어쓴 그대로인 걸 보면 잠이 든 것 같았다.

늦은 밤 아빠가 나를 불렀다. 지원이와 무슨 일이 있었는지 물었다.

"몰라, 저 혼자 그러는 걸 내가 어떻게 알아?"

나는 아빠에게 용돈을 달라고 했다.

"얼마나?"

"십만 원."

"어디 쓸 건데?"

"그냥, 아이스크림 사 먹게."

"엄마가 절대 돈 주지 말라던데."

"안 줄 거면서 얼마냐고 왜 물어?"

방으로 따라오는 아빠를 무시하고 형광등을 꺼 버린 후 침대에 누웠다. 한참 만에 방문이 닫히는 소리가 났다. 이젠 엄마에 관해서는 듣기도 싫었다. 나를 조종하다 못해 같이 살지도 않는 아빠까지 자기 맘대로 하려고 했다. 하지 말라는 건 지긋지긋하도록 많고, 하라고 하는 건 공부밖에 없었다. 이 상황에 공부라도 잘해야지, 이게 엄마가 지겹도록 하는 말이었다. 그때마다 따지고 싶었다. 우리가 어때서? 이 상황이 무슨 상황인데? 누가 만든 건데?

시끄러워서 잠을 깼다. 휴대폰으로 켜 둔 영상에서 나는 소리 같았다. 짜증이 올라왔다. 내가 가장 싫어하는 게 잘 때 깨우는 것이다. 그래서 아침마다 엄마와 싸웠다. 정말 하루도 빠지지 않고. 엄마는 깨우고, 나는 '5분만'이라고 성질을 부렸다. 당최 기분 좋은 아침을 맞을 수 없었다. good morning은 불가능했다.

팽, 코 푸는 소리에 벌떡 일어났다. 지원이가 책상 스탠드 불빛을 밝힌 채 울고 있었다. 눈물과 콧물을 찍어 낸 화장지 뭉치가 수북했다.

"왜?"

울음이 커졌다가 작아졌다가 밖으로 흐르다가 안으로 말리다가, 아주 다채로웠다. 꾹 다문 입은 소리를 죽이려는 것인지, 증폭시키려는 것인지 의심스러웠다. 예의상 두 번 더 물었지만 지원이는 답을 하지 않았다.

"이건 확실히 해 두자. 난 너한테 아무 짓도 안 했다!"

이어폰을 찾았다. 울고 싶은 사람은 울고, 자고 싶은 사람은 자면 된다. 수면 음악을 고르는데 지원이가 웅얼거렸다.

"뭐라고?"

"엉니 때문이라고."

나는 베개를 집어 던졌다. 베개가 정확히 지원이의 머리를 맞히고 떨어졌다.

"한 번만 더 나 때문이라고 하면 가만히 안 둬."

지원이의 뒤통수를 후려치고 싶었다. 발등을 다쳤을 때도 아빠에게는 내가 휴대폰을 떨어뜨렸다고 했지, 지원이는 끌어들이지 않았다.

모든 게 나 때문이라고 생각하던 때가 있었다. 아빠와 엄마가 자꾸만 싸우는 것도, 결국 두 사람이 이혼을 한 것도, 식탁에 늘 약 봉투가 있는 것도 나 때문이라고 생각했다. 잘하고 싶었지만 성적은 기대에 못 미쳤고, 엄마에게 고분고분하고 싶은 것도 뜻대로 되지 않았다. 고작 내가 할 수 있는 건 아빠를 만나는 약속을 지키는 것이었다. 그건 엄마와 아빠가 동시에 원하는 일이었다.

미래는 매일 구만 구천 원을 읊었고, 지원이는 학원에서 돌아와 늦은 저녁을 먹을 때까지는 아빠와 아줌마 앞에서 까르르 웃어 대다가 방에서는 몰래 울었다. 사실 몰래도 아니었다. 일부러 들으라는 듯 괴상한 소리로 코를 풀고, 휴지통을 툭툭 건드리고, 스탠드 불을 켰다가 껐다가 했다.

사흘째 되는 날, 결국 참지 못하고 발딱 일어났다.

"왜 나 때문이야?"

말도 안 되는 이유를 대면 그냥 넘어가지 않을 생각이었다.

지원이가 또 웅얼거렸다.

"알아듣게 말해!"

"엉니는 아빠한테 왔잖아. 나도 아빠한테 가고 싶다고."

순간, 멍해졌다.

이 집에 있는 아빠는 나의 아빠다. 지원이의 엄마가 나에게 아줌마인 것처럼, 아빠도 지원이에게는 아저씨였다. 왜 그 생각을 못 했을까? 지원이가 아빠, 아빠 부를 때마다 재수 없는 년, 욕을 하고 말았다. 내 것을 빼앗겼다는 분노 따윈 형태를 갖추기 전에 무시하면 그만이었다. 아빠가 이룬 완벽한 가정을 본 순간 아빠를 향한 감정들을 꾹꾹 눌러서 닫아 버렸다. 하긴 두 분이 갈라섰을 때 이미 가족에 관한 기대치는 바닷물에 모래성이 무너지듯 사라졌다.

지원이에게도 아빠가 따로 있다는 당연한 사실이 이상하게도 충격이었다. 재잘대며 웃는 얼굴 때문에 깨닫지 못했다. 그리고 그 웃음마저 외면하고 있었다.

"나도 아빠 보고 싶어. 그런데 엄마가 절대 못 가게 해."

말문이 터진 지원이는 의자를 내 쪽으로 돌려놓고 코를 훌쩍이며 본격적으로 이야기를 풀어놓았다.

아저씨, 그러니까 지원이 아빠는 아줌마에게 잘못한 것들이 많았다. 그래서 지원이와도 못 만나게 한다고 했다. 아저씨는 혼자서 외롭게 살고 있고 얼마 전엔 오랫동안 키우던 개마저 죽었다. 지원이는 아저씨와 연락을 하면 휴대폰에 흔적이 남지 않게 기록을 지웠다.

"잘 거야."

더 듣고 싶지 않았다. 나도 다 겪었다. 뻔한 거 아닌가? 싸우고 헤어지고 그중 한 명이랑 살게 된 사연 따윈 슬프기는커녕 화만 났다.

"엄마는 스트레스 받으면 안 돼. 배 속의 아기가 잘못될 수도 있어."

아줌마가 유산을 한 적이 있다고 했다. 지원이는 아줌마가 아기를 무사히 낳을 때까지 모든 걸 참는 중이었다.

아줌마가 무사히 낳아야 하는 아기는 아빠가 나와 같다.

"듣기 싫어! 누가 궁금하대?"

새벽 1시 37분. 당장이라도 뛰쳐나가고 싶었다. 이럴 땐 나이가 적은 게 억울했다. 성인이라면 분명 차를 가지고 있을 미래에게 데리러 오라고 하거나, 훌쩍 나가서 미래와 함께 놀았을 텐데, 지금은 할 수 있는 게 없었다.

스탠드 불이 꺼졌다.

"엉니, 나 돈 많아."

"어쩌라고?"

"나랑 같이 가면 돈 빌려줄게. 아니, 필요한 만큼 그냥 줄게."

다시 울기 시작했는지, 또 훌쩍거렸다.

"엉니는 아빠가 가까이 사니까 언제든지 볼 수 있지? 난 가는 데만 하루 종일 걸린대."

아저씨가 있는 곳은 강원도 읍내에서도 더 들어가는 깊은 산골이었다.

"거기서 집 짓는대. 집 다 지으면 오라고 하는데, 그게 벌써 3년째야. 돈이 없어서 오래 걸리나 봐."

지원이가 화장지 뭉치를 휴지통에 넣는 소리가 들렸다. 그리고 결정타를 날렸다.

"아빠를 본 게 초등학교 1학년 때가 마지막이야. 지난번에 사진을 보내 줬는데, 아빠가 아닌 것 같았어. 낯설어. 그래도 직접 만나면 예전이랑 달라지지 않았다는 걸 알 수 있을 거야."

순수하게 그대로를 보여 주는 척하는 지원이가 사실은 철저히 계산된 순서대로 내 감정을 건드리는 것만 같았다.

"엉니, 나랑 같이 가 주면 안 돼?"

"내가? 거길 왜?"

얼토당토않은, 말도 안 되는 짓이었다. 내가 저보다 뭐라도 나은 줄 아는 모양이다. 더 많이 알고, 더 할 줄 알고, 어쩌면 더 용감하다고 생각하고 있는지도 모른다. 하지만 나는 할 줄 아는 것도 없고, 경험도 별로 없었다. 하고 싶어도 할 수 없는 것들이 많았다. 무슨 일이든 보호자 동의가 있어야 했고, 때론 엄마로 모자라서 아빠 동의까지 필요로 할 때가 있었다.

우린 아직 그런 존재였다. 방학을 한 날조차 우리끼리 집에서 한 시간도 채 놀아 보지 못했다. 이제 막 재미있어지려는데 어른들이 초인종을 누르고 문을 두드렸다. 오롯한 우리만의 시간은 없었다. 여긴 어른들의 세상이었다. 서툴고 엉망진창이 된다고 해도 우리만 존재하는 날이 있으면 좋겠다.

"그래도 엉니는 경찰서에도 가 봤잖아."

지원이는 내 속을 들여다보는 것처럼 말했다.

"아빠한테 갈 때 선물 사 갈 거야. 그리고 아빠도 아기 선물 준비한다고 추천해 달랬어. 엉니, 생각나는 거 있어?"

지난번 지원이가 나에게 물었던 이유가 내 짐작과 달랐다. 나는 못 들은 척했다. 멋대로 착각하고 화를 낸 것은 머리를 쥐어박을 일이었다.

지원이는 1분마다 뒤척일 정도로 번잡스럽게 굴었다. 덥다고 에어컨 온도를 낮췄다가, 춥다고 껐다가, 거실에서 선풍기까지 가지고 왔다. 일부러 그러는 것 같기도 했다. 나대지 말라고 소리치고 싶은 걸 몇 번이나 꿀떡 삼켰다. 아는 척을 하면 다시 주저리주저리 이야기를 할 것이고, 그러다 보면 멈춘 울음이 또 터질 것이다.

깜깜한 허공에다 가계도를 그렸다. '아빠 엄마 나', '아줌마 아저씨 지원이', 이 구성원들이 해체되어 '아빠 아줌마 지원이, 태어날 아기'로 가정이 다시 꾸려졌다. 언젠가는 엄마도 새로운 가계도를 만들지도 모른다. 멀찍이 떨어져 있는 양쪽 가계도에 가랑이가 찢어질 듯 간신히 한 발씩을 걸쳐 놓은 내 모습을 상상했다. 난 어디에도 속하지 못하는 인간이 될 게 뻔했다. 지원이라면 양쪽을 부지런히 오가며 어른들을 기쁘게 해 줄 것이다. 속마음은 책상 스탠드 불빛 아래 꼭꼭 감추고서 말이다.

"엉니, 할 말 없어?"

할 말은 제가 가지고 있으면서 괜히 물어보는 거였다.

"있어. 그때 간 데는 경찰서 아니고 지구대. 기대했는데 별거 없더라."

다음 날부터 지원이는 아무 일도 없었던 것처럼 학원을 열심히 다녔다. 돌아오면 늦은 저녁을 먹고 숙제를 하고 잤다. 더 이상 돈이나 강원도 이야기를 하지 않아서 없던 일로 덮이는 줄 알았다. 아빠는 여전히 나에게 용돈을 줄 마음이 없었다. 미래만이 포기하지 않고 꾸준히 연락을 해 왔다. 남자 친구 이야기로 한껏 들떠 있다가도 마지막엔 늘 돈을 마련하라고 닦달을 했다. 정말이지 깁스만 하지 않았다면 더위에 쓰러지더라도 땡볕에 나가서 전단지 아르바이트를 했을 것이다.

일요일 저녁에 지원이는 학원 가방을 비우더니 그 안에 옷을 챙겨 넣었다. 내일이 강원도로 출발하는 D-day라고 했다. 이유는 월요일부터 2박 3일 동안 학원 방학 기간이기 때문이었다. 수요일에 집으로 돌아오는 게 계획이었다.

"너, 혹시 공부밖에 모르는 모범생이니?"

"공부 때문이 아니라 엄마 때문이야."

그러니까 허락 없이 아빠에게 갈지언정 학원이라도 빼먹지 말아야 그나마 엄마가 스트레스를 덜 받는다는 것이다. 나와 같이 가는 것도 엄마의 걱정을 조금이라도 덜어 주고 싶어서라고 했다.

"난 가겠다고 한 적이 없다!"

"갈 거잖아."

"깁스해서 못 걸어."

"매일 놀이터 가잖아. 그 정도만 걸으면 돼."

지원이는 나를 철석같이 믿고 있었다. 그러거나 말거나, 하며 관심을 끊어야 하는데 옷을 넣었다 뺐다 하는 가방에 계속 눈길이 갔다.

"엉니, 이거."

돈이었다.

지원이는 지폐를 한 장씩 바닥에 내려놓으며 셌다. 십만 원이었다. 얼마가 필요하다고 말하지 않았는데 딱 맞게 돈을 준비해서 내 손에 올려놓았다. 큰돈을 선뜻 줄 정도로 돈을 많이 가지고 있는 게 사실이었다. 씻고 온 지원이는 나에게도 씻으라고 했다. 내일 일찍 나가야 한다고 했다.

"새벽부터 씻어 봐. 바로 의심할걸. 엄마 나갈 때까지는 자는 척해야 해."

그리고 아줌마가 돌아오는 저녁에는 강원도 아빠 집에서 전화를 할 거라고 했다. 은근 치밀한 아이였다. 돈부터 주는 것도 나를 꾀려는 수작 같았다.

아빠와 아줌마가 현관을 나가자마자 지원이는 자는 척하는 나를 흔들었다.

나는 안 가겠다고 단호히 말했다.

"이거 알아? 사실 엄마는 매일 오후에 집에 와서 쉬었어. 그런데 언니 오고부터 언니 불편할까 봐 저녁까지 가게에 있다가 오는 거야. 언니가 없는 며칠만이라도 엄마한테 일찍 와서 쉬라고 하면 좋잖아."

또 나 때문이었다. 나라는 존재는 어딜 가나 짐스러운 것이었다. 나여서, 나이기 때문에, 나인 게, 하여튼 수치스러웠다. 뛰쳐나가고 싶었지만 절룩대며 집을 나왔다. 지원이가 내 가방까지 들쳐 메고 졸졸 따라왔다.

"할 일도 없잖아. 나랑 강원도 가자. 지금 아빠 동네에 개망초가 엄청 피었고, 밤에는 별도 볼 수 있대."

손을 뿌리칠 때마다 지원이가 매달렸다. 내 팔에 달라붙어 엉니, 엉니, 했다. 깁스를 한 채로는 도저히 지원이를 떨구어 낼 수 없었다. '떨어져! 같이 가자! 꺼지라고! 싫은데!' 실랑이를 하다 보니 두 정거장이나 걸어왔다. 그래도 다리는 아프지 않았다. 지원이는 집요했다. 이번이 아니면 아빠를 영영 못 볼지도 모른다고 했다.

결국 지원이는 길바닥에서 소리 내어 울었다.

"엉니 집에 가고 나면 난 누구랑 가냐고!"

마지막 말에 나는 달아나기를 그만두었다. 내가 뭐라고, 나와 며칠이나 되었다고, 나를 믿고 있는 지원이를 향한 안쓰러운 마음이 스멀스멀 생겨났다.

고속 터미널에서 지원이가 버스표를 사는 줄로 나를 잡아끌었다.

"학생 두 명에 삼만 원이 드니까 왕복 육만 원. 거기서 버스 타는 건 교통 카드로 하고. 나머지로는 밥 사 먹고, 물도 사 먹고. 돈 아껴 써야 해, 알았지?"

"뭘?"

나는 지원이를 빤히 봤다.

지원이가 눈물 자국이 남은 눈으로 나를 쳐다봤다. 어제 준 돈은 나한테 준 게 아니고 오늘 쓰려고 맡겨 둔 거라고 했다.

"나? 돈 안 가지고 왔는데!"

사실이었다. 어제 지원이가 준 돈은 옷장 안에 넣어 두었다.

"어제 언니 씻을 때, 내가 가방에 넣었어. 가방 안쪽 지퍼에."

우리 차례가 되었다. 지원이가 유리창 너머로 학생증을 내밀면서 "학생 두 명인데요."라고 했다. 그러곤 나를 툭 쳤다. 돈을 내라는 것이다.

"넌 돈 없어?"

지원이가 고개를 끄덕였다. 당연하다는 저 표정, 속이 부글부글 끓었다. 앞에선 직원이 재촉하고 뒤에는 차례를 기다리는 사람들이 있었다. 지원이 말대로 돈이 가방에 있었다. 지원이가 버스표를 받아 챙겼다. 버스 승차 시각까지 20분이 남았다. 생각할수록 화가 났다.

내 눈치를 보던 지원이가 말했다.

"엉니에게 줄 돈은 집에 있어. 갔다 와서 줄게. 내 돈 다 줄게."

나는 얼마나 있냐고 묻고 싶은 걸 꾹 참았다. 단단히 화가 났다는 걸 확실하게 알려 주고 싶었다. 지원이는 한 순간도 나에게서 떨어지지 않으려 했다. 화장실에 가서도 옆 칸에서 벽을 두드렸다.

"엉니, 있지?"

"엉니, 같이 가야 돼."

"엉니? 엉니!"

창피하고 신경 쓰여서 볼일도 제대로 못 봤다.

버스에 올라 나란히 앉았다가 자리가 많이 비어서 나는 뒤로 갔다. 지원이가 자꾸만 뒤를 봤지만 그냥 모른 척했다.

강원도까지는 2시간 30분이 걸린다고 했다. 출근 시간이어서 차가 막혔다. 한참 만에 고속도로에 들어섰는데도 속도를 내지 못했다. 이대로 가다가는 3시간도 더 걸릴 것 같았다. 차가 가다 서다를 반복해서 속이 울렁거렸다.

나는 몹시 불편한 자세로 옆자리까지 차지하고 누웠다. 버스 통로로 지원이 얼굴이 나타났다가 사라졌다.

'토하면 안 돼, 토하면 안 돼.' 속으로 주문을 외웠다. 한참 동안 눈을 감고 있었더니 속이 좀 가라앉았다. 휴대폰 진동이 울렸다. '동생'이라고 떴다. 통화 거절을 눌렀는데, 뭔가 이상했다. 나는 동생이라는 이름으로 저장해 놓은 연락처가 없었다.

또다시 휴대폰이 울렸다. 눈을 뜨자 휴대폰을 흔드는 지원이가 보였다. 휴대폰 화면에 문자 이모티콘과 함께 또 '동생'이라고 떴다.

_ 언니 엄마 수술 잘됐대.

나는 벌떡 일어났다. 속에 것이 확 쏠렸다. 눈을 질끈 감고 침을 꿀떡 삼켰다. 더 이상 참지 못할 것 같았다. 가방을 뒤졌다. 비닐봉지를 찾았지만 생리대가 들어 있는 포장 비닐뿐이었다. 얼굴을 문지르고 주먹으로 가슴을 탁탁 쳤다. 마침 차가 속력을 줄이고 있었다. 휴게소에서 쉬어 간다는 안내 방송이 나왔다. 운전기사 아저씨가 시간을 지켜 달라고 당부했다.

나는 차 문이 열리자마자 밖으로 뛰쳐나갔다. 화장실까지 갈 겨를도 없이 버스 뒤 풀숲으로 가서 토했다. 시큼하고 역한 냄새가 퍼졌다. 손과 신발에 토사물이 묻었다. 풀에다 신발을 문질렀다. 화장실로 가서 한 번 더 토했다. 신발에 묻은 오물을 씻고 세수까지 했다. 지원이는 구역질을 하면서도 내 옆에서 얼쩡거렸다.

주차장에 줄지어 서 있는 버스들이 모두 비슷해 보였다. 우리가 타고 온 버스를 찾을 수 없었다. 지원이는 다리가 불편한 나를 두고 조바심을 내며 혼자서 뛰어다녔다. 한참을 헤매다가 멀리서 운전기사 아저씨가 우리를 불러 주어서 겨우 버스에 탔다. 우리 때문에 승객 모두가 기다렸다며 아저씨에게 핀잔을 들었다.

차가 출발한 후에야 지원이에게 물었다.

“아줌마 괜찮대? 수술까지 한 거야?”

배 속의 아기가 걱정되었다. 아줌마가 평소처럼 쉬지 못해서라면 그것도 나 때문이었다.

“아니, 엉니 엄마가 수술했어. 유방암 수술.”

“뭐라는 거야?”

“아빠랑 엄마가 말하지 말래. 엉니 걱정한다고. 아줌마 회복되면 그때 알려야 한다고.”

지원이가 덧붙였다. 엄마가 수술을 하고 회복하는 동안 내가 아빠 집에 있기로 한 것이라고.

숨이 턱 막혔다. 엄마가 아픈 것도 화가 나지만 다들 나에게 감춘 게 더 분했다. 암이라면 큰 병인데 엄마가 수술을 할 때까지 나만 몰랐다. 암은 스트레스가 원인이라는 걸 TV에서 본 적이 있었다. 엄마의 가장 큰 스트레스는 당연히 나였다. 또 나 때문이었다.

지원이가 툭 쳤다.

"너무 걱정하지 마. 아줌마 어제 퇴원하고 엉니 이모 집에 가 있대."

나에게는 이모가 넷이나 있다. 그래도 엄마가 있을 만한 곳은 혼자 사는 셋째 이모 집뿐이었다. 그동안 이모들이 번갈아 가며 우리 집에 드나든 것도, 아빠가 엄마 말을 고분고분 들은 것도, 아빠 집 가족들이 나를 기꺼이 맞아들인 것도 한 가지 이유 때문이었다.

아무것도 모르는 나는 아픈 엄마를 더 아프게 하는 나쁜 딸이 되어 버렸다. 엄마가 아픈 걸 미리 알았다면 염색을 하지도 않았고, 학원을 빼먹지도 않았고, 시험도 대충 보지 않았을 것이다. 나를 철없는 아이로 만든 어른들을 이해할 수 없었다.

"어른들은 늘 이런 식이야."

내 탓이라고 자책을 하면서도 한편으로는 모두 당신들 때문이라는 반발심이 불쑥불쑥 올라왔다. 어른들이 떠안기는 죄책감 따윈 필요 없었다. 독이 오른 나는 앞좌석을 힘껏 걷어찼다.

휴대폰에서 문자 수신음이 울렸다.

_맞아, 어른들이 좀 그래.

지원이는 언제 자신의 번호를 내 휴대폰에다 저장해 둔 것일까? 나는 '동생'이라는 연락처를 찾아서 한 글자를 덧붙였다.

'동생년'

가만히 지켜보던 지원이가 또 엉겨 붙었다.

"엉니, 걱정 마. 내가 있잖아."

잘 모르던 아이

그 아이를 다시 본 건 고등학교 졸업식이 있던 날이었다.

졸업식엔 가지 않았다. 초등학교와 중학교 졸업식을 경험해 본 후로는 더 이상 가지 않아도 되는 자리라고 결론 내렸다. 아니, 다시는 나의 졸업식엔 가지 않겠다고 다짐했다. 졸업생보다 졸업생을 보러 오는 사람들이 더 많았던 그곳의 분위기는 교실에서 혼자 있을 때와는 또 달랐다.

중학교 졸업식을 하던 날, 나는 가족 중 한 명이라도 와 주길 바랐다. 사진을 찍고 싶은데, 꽃도 좋아하는데, 예약해야 하는 맛집은 바라지도 않고 햄버거라도 함께 먹었으면 했지만 아무것도 하지 못했다. 졸업식이 열리는 5층 강당 내 자리에 앉고부터 누구보다 빨리 교문을 나갈 때까지 휴대폰만 봤다. 왁자하다 못해 소리가 뭉쳐서 웅웅 울려대는 넓고 높은 강당 여기저기를 가끔 힐끔거리기는 했다. 혼자인 아이가 할 수 있는 것이라곤 그것밖에 없었다. 나도 졸업식만큼은 남들처럼 축하받고 싶었다.

그날 집에 온 엄마에게 피자를 시켜 달라고 했다가 혼만 났다. 졸업식 잘 다녀와서 웬 심통이냐고, 철 좀 들라고. 그 당시 엄마와 아빠는 함께하는 가게가 잘 안 되어서 다른 업종으로 바꾸려고 준비 중이었다. 아빠가 방으로 따라 들어와 용돈을 쥐여 주는 것으로 나를 달랬다.

이번엔 소소하게 혼자서 놀 계획이었다. 영화를 보고 햄버거를 먹고 지하 대형 서점 문구 코너에 가서 나에게 주는 선물을 고르려고 했다. 해가 질 때쯤 밖으로 나와서 깜깜하게 변하는 도시를 오래 걸어 집으로 가면 된다. 다들 함께 있는 졸업식에서 혼자 있는 건 괜찮지 않지만, 그냥 혼자라서 혼자인 건 꽤 괜찮은 시간이 될 거였다.

그런데 졸업식 전날, 인터넷 포털 사이트에서 폭설이 내린 산을 소개하는 동영상을 보았다. 케이블카를 타고 올라가기만 하면 하얀 눈 세상을 만날 수 있는 곳이었다. 높은 곳에서 내려다보는 걸 좋아하지만 가지 않은지 오래되었다. 다시는 건물 옥상에 올라가지 않겠다고 한 엄마와의 약속을 지키고 있었다. 계획을 변경했다. 약속을 깨지 않고 평소보다 조금 멀리, 조금 높이 가 보기로 했다.

졸업식이 시작될 즈음, 고속버스 터미널 광장으로 이어지는 지하철 계단을 오를 때 마이크의 소음이 들렸다. 스피커 소리들이 충돌하는지 같은 말이 돌림 노래처럼 이어져서 도통 알아들을 수 없었다. 광장에서는 피켓들이 올라갔다 내려갔다 했다. 사람들이 그 앞을 바쁘게 지나쳤다. 몇 명은 서명을 요청하는 이들에게 잡혀서 볼펜을 쥐고 있었다. 피켓에 시선을 빼앗긴 채 터미널로 향하다가 뭔가에 걸려 넘어졌다. 후다닥 일어났지만 무릎이 욱신거렸다. 아픈 곳을 문지르다가 손에 낀 장갑을 보고서야 한눈을 판 이유를 알았다.

다시 광장으로 되돌아갔다. 여기저기 뛰어다니며 서명을 받는 이들을 훑어본 후 나란히 선 시위자들을 살폈다. 모두가 모자와 마스크와 목도리로 얼굴을 가리고 있었다. 추운 날씨에 단단히 챙겨 입은 것이기도 했지만, 시위 내용으로 봐서는 자신의 얼굴을 노출시키지 않으려는 의도가 있는 듯했다. 그들 중 가장자리에서 양손에 피켓을 들고 있는 빨간 장갑을 찾았다. 발이 걸려 넘어지도록 내 시선을 잡아끈 건 장갑 손등에 붙은 원숭이 얼굴 인형이었다. 내가 본 게 맞았다. 예전에 내가 노려보기만 하던 바로 그 장갑이었다.

아이가 덮어쓴 패딩 모자 아래로 긴 머리카락이 나와 있었다. 짧은 커트 머리를 길렀나 보다. 통통한 볼과 오므린 듯 작은 입술은 마스크에 가려져서 보이지 않았다. 하지만 동그란 안경과 옆을 볼 때 고개를 갸우뚱 기울이는 것과 양 발끝을 안쪽으로 두고 서 있는 모습이 중학생이었을 때 그대로였다. 이름에 '경'이나 '강' 어쩌면 '정'일 수도 있는 글자가 들어갔던 것 같다. 한때 옆에 있었지만 이제는 이름조차 기억나지 않는, 내가 잘 모르던 아이였다.

집을 나올 때만 해도 버스에서 곯아떨어질 줄 알았다. 이어폰을 귀에 꽂고 비니 모자를 내려서 도둑처럼 눈까지 가렸지만 잠이 오지 않았다.

이미 어두운 비니 속에서는 지나간 어느 하루가 되감기로 다가오고 있었다. 아이들을 쫓아 복도를 휘젓던 그날의 찬바람과 창턱에 놓인 빨간 장갑에서 나던 향수 냄새가 느껴지는 듯했다. 기억보다 감각이 먼저 깨어났다. 그날 이후 돌아본 적 없는 시간이었다.

중학교 3학년 여름 방학을 마치고 전학을 가게 되었다. 이미 여러 명이 전학을 간 후였다. 학교를 옮기는 건 선생님과 부모님과 나의 공통된 의견이었다. 각기 다른 이유였지만 뜻이 통했으니, 괜찮았다. 선생님은 신경 쓸 일을 줄이려고(내가 여러 아이들과 사건에 휘말렸다.), 부모님은 사람들의 시선이 싫어서(그래서 이사도 갔다.), 그리고 나는 귀찮아서였다.

"진짜야? 아니지?"

"소문 중에 뭐가 맞아?"

"네가 제일 잘 알잖아."

아이들은 내가 답을 하지 않을 걸 알면서도 묻고 또 물었다.

도시 외곽 변두리 학교는 무난했다. 아이들과 선생님들의 열정이 과하지 않았고 전학생에 대한 관심도 일주일을 넘기지 못했다. 먼저 말을 걸지 않으면 종일 혼자일 수 있었다. 학교가 버스를 갈아타야 할 만큼 멀어 동네에서 같은 교복을 입은 아이들과 마주칠 일도 없었다. 괜찮았다, 그게 편했다. 혼자가 되는 게 나쁜 것만은 아니었다. 관심을 받지 못하면 간섭도 피해 갈 수 있었다. 소외되면 홀로 자유롭기도 했다. 그때는 괜찮은 일들이, 괜찮아야 할 일들이 참 많았다.

수업을 마치고 교문에 이르러서야 실내화를 신은 채 나온 걸 알았다. 신발장에 있을 운동화는 누가 가져갈까 걱정하지 않아도 된다. 처음엔 모두가 반짝반짝 눈길을 주던 새하얀 신상 스니커즈였지만, 이젠 뒤축이 꺾이고 사방으로 꼬질꼬질 때가 묻어 아무도 봐 주지 않는 낡은 운동화일 뿐이었다.

가을 햇볕이 따스했고 하늘은 맑고 푸르렀다. 몽실몽실하게 피어오른 흰 구름까지 예쁜 날이었다. 높은 곳에서 보면 훨씬 더 예쁠 것 같았다. 사방이 고층 아파트였다. 저곳 옥상이라면 바람을 입에 넣을 수 있을 것이다. 엄마는 건물 옥상엔 올라가지 말라고 했지만 그때 주위에 높은 게 건물들밖에 없어서 그곳으로 올라간 것뿐이었다.

내가 높은 곳에 가려는 건 엄마의 염려와는 다른 이유에서였다. 만약 탑이나 산이나 열기구가 있었다면 그곳으로 갔을 것이다. 높은 곳에 올라가면 바람을 먹을 수 있었다. 아니다, 먹는다기보다는 바람을 입에 가득 넣을 수 있었다. 바람이 불지 않아도 까마득히 먼 곳에서 바람이 오고 있다고 생각하면 기분이 좋아졌다. 다가오는 바람을 입안 가득 넣고 눈을 감는다. 그리고 바람에 실려 휘어진 도로 위를 지나고 건물을 넘어서 산맥이 있는 곳에 이르러 세상을 바라보는 상상을 한다. 그건 절로 웃음이 나는 행복한 시간이었다. 그 순간만큼은 괜찮아야 할 일들이 정말로 괜찮게 여겨졌다.

구름을 싹둑 잘라먹은 아파트 꼭대기에서 시선을 거뒀다. 옥상에는 올라가지 않을 것이다. 오늘은 상담 센터에 가는 날이었다. 열두 정거장을 걸어가는 것에는 익숙했다. 어차피 일찍 가도 센터가 문을 닫는 시간까지 기다려야 했다. 그곳은 엄마 친구가 상담사로 근무하는 곳이었다. 그곳에 온 아이들은 방으로 가서 이야기를 하지만 나는 곳곳을 청소한다. 상담 센터에 가는 건 옥상에 올라가지 않겠다는 약속과 함께 잘 지키고 있었다.

처음엔 청소를 하려고 간 게 아니었다. 상담실에 앉은 첫날, 아줌마(이미 아는 사이라서 정식 상담에 들어가기 전이니 자신을 선생님이 아닌 아줌마라고 부르라고 했다.) 책상에 사진 액자 두 개가 세워져 있는 걸 봤다. 아줌마와 아이가 함께 찍은 사진이었는데, 하나는 아이가 유치원생으로 보였고, 다른 하나는 초등학생으로 보였다. 눈매가 아줌마와 닮은 두 아이는 같은 아이였다. 아이가 유치원생일 때 찍은 사진에는 아줌마가 지금보다 젊은 모습이었다. 나는 아줌마가 혼자 살고 아이가 없다는 걸 알고 있었다. 그 아이는 아줌마의 조카였다.

"명색이 아동 청소년 상담 전문가인데, 자기도 애 키우는 엄마라고 어필해야 하지 않겠어?"

엄마의 말을 듣고 사진이 일종의 상술이라는 걸 알았다.

어른들은 그 사진을 보고 '제 심정을 선생님도 알죠?'라며 지갑을 열었을지 모르지만, 상담을 받는 아이들은 '선생님도 엄마네요.'라며 입을 닫을 것 같았다. 나는 아줌마의 얕은 수에 맘이 틀어져 버렸다. 아줌마의 상술이 먼저인지, 사람들이 상담사를 고를 때 따지는 조건이 먼저인지 모르겠지만, 나는 이곳에서 이야기만 아니면 아무거나 하기로 했다. 그래야만 상담 시간을 채울 수 있었고, 학교에서는 학교폭력에 휘말린 뒤 높은 곳 난간에 서 있던 아이에 대한 걱정을 덜 수 있을 테니까.

더구나 아줌마는 엄마 친구였다. 나에게는 그 둘을 구별하는 게 의

미가 없었다. 내가 하는 말들이 토씨 하나 틀리지 않고 고대로 엄마에게 전달될 게 뻔했다. 두 번째와 세 번째 만남에서는 선생님(정식 상담 시간이었다.) 앞에 앉지 않았다. 대신 그 방의 것들을 정리했다. 책장 바닥에 층층이 쌓여 있는 책들을 다시 쌓고, 책장 틈에 끼워져 있는 책은 빈 곳을 찾아서 꽂았다. 같은 칸 안의 책들을 키 순서대로 배열하고도 시간이 남아서 물티슈로 책장을 닦았다. 별 말 없이 나를 지켜보던 선생님이 다음 주엔 다른 방을 정리해 달라고 했다. 그렇게 해서 나의 상담 시간은 모두가 돌아가는, 센터가 문을 닫는 시간으로 잡혔다.

아줌마는 아직 상담 중이었고 다른 선생님들은 퇴근을 한 것 같았다. 접수 선생님에게 인사를 하고 놀이 상담실로 갔다. 바닥에 남아 있는 블록과 퍼즐, 사람이나 동물 모양 피규어들을 제자리에 찾아 넣었다. 뒤섞여 있는 색지를 크기별로 정리하고 색종이 조각들을 주웠다. 바닥을 쓸고 진열대를 닦았다. 그리고 로비로 갔다. 책장 아래부터 동화, 만화, 잡지순으로 가지런히 꽂고 오늘자 신문들을 접어서 책장 아래 수납장에 넣었다. 진열된 각종 상패와 위촉패 등 번쩍이고 무거운 기념패들에 있는 먼지도 닦았다.

"너, 이진이지?"

돌아보니 낯선 얼굴이 바짝 붙어 있었다. 말없이 보고만 있었더니 아이가 "아, 미안." 하고 센터를 나갔다. 아줌마와 늦게까지 상담을 한 아이인 듯했다.

나는 청소를 마치고 아줌마에게 검사를 받았다. 진짜 청소 검사가 아닌 시간을 채웠다는 확인 같은 것이었다. 아줌마는 청소된 공간보다 내 얼굴을 쳐다보는 시간이 더 길었다. 그것도 괜찮았다. 내가 청소를 하는 것처럼 아줌마도 상대를 궁금해하고 고개를 끄떡이는, 할 일을 하고 있는 것뿐이었다.

밖은 걸어가기에 알맞게 어두웠다.

"맞지? 이진이?"

버스 정류장을 지나는데 아까 그 아이가 말을 걸었다. 아무래도 나인 것 같아서 기다렸다고 했다.

아이 손이 내 옆구리로 훅 들어왔다. 나는 화들짝 놀라 아이의 팔을 털어 냈다. 함부로 다가오는 건 괜찮지가 않았다.

아이는 전학 온 날 나를 봤다고 했다. 이름이 예뻐서 기억하고 있었다고 호감을 드러냈다.

"너, 가현동 살지? 에스마트 뒤쪽."

"넌?"

설마 하고 물었는데 자신의 집은 내가 사는 곳에서 이차선 도로 건너편 아파트라고 했다. 그곳 지리에 익숙지 않은 나를 위해 꼼꼼한 설명을 달았다.

아이는 말투가 쫀쫀했다. 꼭꼭 씹혀진 생각들이 쫀득하게 입속에 달라붙어 있다가 나오는 듯 찰기가 느껴졌다. 한 시간쯤 걸었고 아이는 찰진 말을 연신 뱉어 냈지만 기억나는 게 없었다. 듣고 싶지 않은 말을 흘려보내는 건 내가 잘하는 것 중 하나였다. 답을 채근할 때에는 '응, 아니, 몰라, 괜찮아'를 돌려 가며 썼다.

"우리 에스마트 앞에서 보면 되겠다. 7시 50분, 좋지?"

어쩌다 보니 내일부터 학교에 같이 가기로 되어 버렸다. 끈질기게 내 전화번호를 물어서 알려 주었다. 헤어지자마자 아이는 친절을 듬뿍 담아서 반가웠다는 문자를 보내왔다. 문자 끝에 자신의 이름을 알려 준 것 같기도 했다.

함께 등교한 첫날, K의 배 속에는 떡을 찍어 내듯 말을 만드는 기계가 쉬지 않고 작동하는 것만 같았다. 밤사이 준비해 둔 이야기들이 차례를 기다렸다가 K의 혀가 밀어내는 대로 '그런데, 있잖아, 저기저기' 같은 것을 달고 줄지어 나오는 꼴이었다. 대부분 학교나 선생님, 아는 누구, 뭐 이런 것들이었다. 궁금하지 않아도 떠드는 대로 내버려 두었다. 가만히 있기만 하면 지나가는 것들이었다. 나에게도 이것저것 물었지만 예민한 것을 피하는 눈치는 있었다. 예를 들면 전학을 온 이유라든지, 상담 센터에는 왜 다니냐 같은 것은 묻지 않았다.

K가 쉬는 시간에 나를 찾아왔다. 문 앞에 서 있는 걸 봤지만 나를 찾는 줄은 몰랐다. K와 두 번 눈이 마주치고 나서야 복도로 나오라는 신호를 알아차렸다.

그날부터 K는 자주보다 더 자주 나에게 왔다. 웬일인지 교실까지 들어오지 않고 항상 뒷문이나 복도 창문에서 나와 눈이 마주치길 기다렸다. 그리고 올 때마다 뭔가를 들고 왔다. 작은 문구용품과 과자, 젤리 같은 본 적 없는 외국 제품들이었다. 여러 나라에 있는 친척들이 보내 온 것이거나 해외 직구를 한 것들이라고 했다. 그것들을 나에게만 주는 건 아니었다. 지나가던 아이가 하나 달라고 하면 선뜻 건네주었다.

같은 일이 반복되면서 나는 K가 주는 것들이 부담스러워졌다. 어느 날, 거절했다.

"포스트잇은 나도 많은데."

"그래도 이거랑 똑같은 건 없잖아."

대답도 하지 않고 받지도 않으니까 K가 괴물 모양 포스트잇 세트를 내 손에 쥐여 줬다. 각각의 괴물 모양 메모지를 퍼즐처럼 끼워 맞추면 또 다른 큰 괴물이 되는 디자인이었다.

"으이그, 그럼 동생 갖다줘. 초딩 남학생은 괴물 좋아하잖아."

내가 남동생이 있다고, 초등학생이라고 말했던가?

교실로 오자 앞자리에 있던 남자애가 알은체를 했다. 전학 온 날부터 지금까지 꾸준히 말을 거는 유일한 아이였다.

"이제 너냐?"

무슨 뜻이냐고 묻는 나를 향해 남자애가 돌아앉았다.

"이거 K가 줬지? 좀만 있어 봐. 편의점, 식당, 나중엔 비싼 맛집에 가서 사 줄걸. 3년 동안 꾸준히 퍼 주는데도 쟤, 친구가 없다, 없어."

더 이상 다가갈 애가 없으니 이제 전학생인 나에게 접근하는 것이라고 했다. 이미 나도 어제 로제 떡볶이를 얻어먹었다.

"왜?"

같은 반이 아니어서 잘 모르지만 K가 무리를 만들어 몰려다니거나 나서서 아이들의 괜한 미움을 사는 부류로 보이지는 않았다. 오답 노트니 학습 계획이니 하는 걸 보면 공부에도 충실한 것 같았다.

남자애가 내 표정을 보고 뭘 생각하는지 알겠다며 키득거렸다.

“착하고 친절하지? 맞아, 그런데 그게 사람을 질리게 해.”

뭐가 그리 재밌는지 남자애는 책상을 치며 웃었다.

점심을 먹고 있는데 K가 친구를 기다리는 아이들에게 섞여 복도 창문으로 교실을 들여다보고 있었다. 교실 급식이 이루어지는 날엔 마지막 한 명이 급식판을 치울 때까지 다른 반 아이들은 교실로 들어오지 못하는 게 규칙이었다.

급식판을 들고 복도로 나갔다. K는 말끔히 비운 내 급식판을 보고 부러워했다. 자신은 한 숟가락도 못 먹었다고 투덜거렸다.

“하이라이스 소스에서 향신료 맛이 너무 진하게 나. 내 입맛엔 안 맞아.”

K는 자기 입맛이 까다로운 게 아니라 특별하다고 했다. 화장실로 가려는 나를 한쪽으로 데려가더니 에코백에서 초코 빵을 꺼냈다.

“혹시나 해서 엄마가 싸 줬어. 같이 먹자.”

“나, 배부른데.”

K가 한숨을 푹 쉬었다.

“그치? 내가 더 빨리 말했어야 했는데. 네가 나올 때까지 기다리느라, 미안해.”

아랫입술을 깨무는 K는 세상을 잃은 것같이 낙담을 했다.

그래서 나더러 어쩌라는 건지, 나는 가만히 초코 빵을 내려다보기만 했다.

“그럼 딱 한 입만, 맛만 봐.”

K는 종이 팩 음료를 꺼내어 빨대를 꽂았다. 음료를 가져가자 K도

먹기 시작했다. 빵은 맛있었다. 이것도 K의 엄마가 직접 반죽하고 굽고 초콜릿을 녹여서 만들었을 것이다. 며칠 전에는 교실에 가방을 내려놓기 무섭게 K가 왔다. 엄마가 싸 준 거라며 샌드위치를 보여 주었다. 뒤껼 벤치로 가서 먹자는 K의 부탁을 거절했다. 나는 함께 학교에 온 것만으로도 K에게 충분히 시간을 할애해 주었다. 복도에 서서 K가 손에 쥐여 준 샌드위치를 먹었다. 야채와 사과 소스가 어우러져서 상큼했다. 복도를 지나는 아이들이 힐끔댔지만 배가 고파서 권하는 대로 세 조각이나 해치웠다.

K의 집에서는 K에게 온갖 정성을 들이는 듯했다. 하지만 K는 '좋겠다', '부럽다'는 말을 입에 달고 살았다. 내가 전학을 온 것도, 아파트가 아닌 빌라에 사는 것도, 바쁜 엄마를 대신해서 요리라고 할 것 없는 음식을 내 맘대로 만들어 먹는 것까지도 좋아 보인다고 했다. 처음엔 K가 놀리는 줄 알았는데, 한숨까지 쉬며 짓는 진지한 표정이 꾸며 낸 것 같지 않았다. 자신이 해 보지 못한 것들이라는 말에 그럴 수도 있겠다, 하고 넘겼다.

다시 목요일, 상담 센터에 청소를 하러 가는 날이었다.

늦어서 버스를 타고 갔는데 소독 업체가 와 있었다. 놀잇감부터 책상과 의자, 그리고 내부 전체를 골고루 소독하는 시간이 오래 걸리는 작업이었다. 아줌마도 보이지 않았다. 로비에서 장비를 부리는 아저씨들을 구경하고 있으니 접수 선생님이 오늘은 그만 돌아가라고 했다.

버스 정류장에 앉아 있는 K를 발견할 때까지도 지난주에 이곳에서

K를 처음 만났다는 것을 까맣게 잊고 있었다. K는 휴대폰 화면에 빠져 있다가 이따금씩 고개를 들어서 정차하는 버스를 확인했다. 그러고 보니 오늘은 종일 K를 보지 못했다. K는 아침 일찍 모둠별 회의가 있다고 먼저 학교에 갔다. 쉬는 시간이나 점심시간에도 나를 찾아오지 않았다.

신호가 깜빡이는 횡단보도를 재빨리 건넜다. 무사히 K를 피했다고 여겼는데 뒤에서 나를 부르는 소리가 들렸다.

"이진아, 먼저 간 줄 알았어."

K가 뛰어와서 또 팔짱을 끼려고 했다. 버스가 아니라 나를 기다렸던 것이다. 갑자기 짜증이 올라왔다. 못마땅하게 쳐다보는 내 눈길을 알아채지 못하고 있었다.

오늘도 K의 입에선 쫀쫀한 말들이 조곤조곤 쉼 없이 나왔다.

"생각해 봐, 어른들은 일이 터질 때까지 모르거나, 모른 체하다가, 나중에 돈으로 수습하려고 한다니까. 돈은 쓸망정, 마음은 쓰지 않겠다는 거잖아."

갑자기 뚝뚝 끊어지는 가시 돋친 말에 딴생각을 하던 나는 K를 물끄러미 보았다.

"뭐라고?"

K의 이야기가 궁금해서가 아니라 그만 좀 떠들라고 말하려고 했다.

그런데 K가 걸음을 멈추고 입을 꾹 다물었다. K의 시선을 따라가 보니 저만치 앞에 아줌마가 있었다. 아줌마는 우리가 가까이 갈 때까지 꼼짝도 하지 않았다. 가까이서 본 아줌마 표정이 이상했다. 눈과

입과 심지어 콧구멍마저 활짝 벌린 채 나와 K를 번갈아 쳐다보았다.

"세상에, 어쩜……. 둘이 알아? 친구니?"

우리가 같이 있는 게 그리 놀라운 일인가, 생각했다. 집에 돌아와서야 그 이유를 알았다.

아줌마가 나보다 먼저 우리 집에 와 있었다. 아줌마는 K에 대해 물었고, 나는 일주일 전에 센터에서 만난 같은 학교에 다니는 사이일 뿐이라고 했다. 아줌마는 상담 중 알아낸 내용을 유출해서는 안 된다며 말을 아꼈지만 자신이 놀란 이유는 말해 주었다. K는 상담 중 '네, 아니요.' 말고는 어떤 말도 하지 않는다고 했다. 그 대답마저도 하지 않을 때가 많다는 것이다.

"일 년이나 상담을 했는데 K가 그렇게 말을 많이 하는 건 처음 봐. 다른 아이인 줄 알았다니까."

나도 상대방 반응을 살피지도 않고 혼자서만 계속 떠들어 대는 애를 좀처럼 보지 못했다. 아줌마가 조금만 더 늦게 나타났다면 나는 K에게 그만하라고 소리쳤을 것이다.

하지만 K가 아줌마 앞에서 아무 말도 하지 않는 건 조금 이해가 되었다. 물론 나와 같은 이유는 아닐 것이다. 사실 K는 학교에서 다른 아이들에게는 말을 많이 하지 않았다. 아이들에게 뭐든 나눠 주는 친절을 베풀었지만 누군가와 수다스럽게 말을 하는 걸 본 적이 없었다. K가 갑자기 버스를 타겠다며 도망치듯 가 버린 건 아줌마에게 자신의 다른 모습을 들켰기 때문이었다. 그것 또한 이해가 되었다. 나라도 그랬을 것이다. 어쩐지 K는 내가 가지고 있는 것과 같은 색깔 하나를 지니고 있을 것만 같았다.

다음 날 K는 아무 일도 없다는 듯 에스마트 앞에서 나를 기다렸고, 어쩌다 각자 학교에 가는 날이면 어김없이 쉬는 시간에 찾아왔다. 우리, 우리, 해 가며 나와 한 묶음으로 뭔가 하는 걸 좋아했지만 내가 호응을 하지 않을 땐 눈치를 보기도 했다. 다만 상담 센터에 가는 목요일에는 모습을 드러내지 않았다. 이젠 센터를 마치고 나와도 나를 기다리는 K를 볼 수 없었다. 괜찮았다. 사실은 그게 훨씬 좋았다.

다른 학년보다 일찍 기말고사를 보고 원서를 썼다. 고등학교 진학을 위해 이사를 왔다던 K는 동네 아이들이 가는 곳이 아닌 학교 아이들 대부분이 가는, 나와 같은 고등학교를 일순위로 지원했다.

초겨울 비가 오락가락하던 날 저녁이었다. 친구가 왔다는 동생 말에 현관문을 열어 보니 K가 서 있었다. 기분이 확 상했다. 나는 K에게 집을 알려 준 적이 없었다.

"왜?"

싸늘한 반응에 K가 당황했다.

"어? 아, 그게……, 우산 주려고."

K는 학교 앞 편의점에 두고 온 우산을 내밀었다. 버스를 타고서야 우산을 놓고 온 걸 알았다. K는 거기까지 되돌아가서 우산을 찾아온 것이다.

낚아채듯 우산을 받는 나를 보며 K가 아랫입술을 깨물었다.

"내일 아침에도 비가 오면……. 아니, 잃어버릴까 봐. 우리가 내일도 깜빡할 수 있잖아."

"됐어."

나는 K를 무시하고 문을 닫았다.

'우리'라는 말이 유난히 거슬렸다. 화를 내는 나 자신도 마음에 안 들었지만 기가 팍 꺾인 K의 모습도 보기 싫었다. 그 아이가 나에게 미안해할 이유가 없었다.

동생이 있다는 것은 내가 무심코 흘렸을 수도 있지만 집을 알려 준 적은 없었다. 집을 알아내고 약속도 없이 찾아오는 건 괜찮지가 않았다. 우산을 찾아 줬다는 이유로 마냥 고마워하고 싶지 않았다. 나를 드러낼 준비가 되지 않았을 때 함부로 들여다보는 것은 영역 침범이었다.

다음 날부터 에스마트를 피해서 환승을 해야 하는 정류장까지 걸어가서 버스를 탔다. 지각을 해도 하는 수 없었다. 쉬는 시간에 복도에서 K를 만나는 것도 하지 않았다. 몇 번 문자가 왔지만 그대로 무시해버렸다. 가끔 마주치면 K는 안녕, 인사를 했고 나도 손을 들어 답했다. K와는 그렇게 끝나는 줄 알았다.

시험이 끝나고부터는 매 교시가 노는 시간이었다. 영화 보기, 책 읽기, 잠자기 등. 조용히 자리만 지키면 선생님들도 간섭하지 않았다. 다만 아이들과 선생님 사이에서는 휴대폰이나 태블릿을 들키고 빼앗고 다시 찾는 일이 반복되었다.

졸업식이 있기 며칠 전, 2교시가 끝나고 쉬는 시간이었다. 누군가 "손이진, 면회." 하는 말에 엎드려 있다가 일어났다. 흐린 눈에 초점을 맞췄다. 뒷문에서 K의 얼굴이 보였다.

오랜만이라며 K가 흐릿하게 웃었다. 나도 비슷한 표정이었던 것 같다. K는 예전처럼 두서없이 떠들지 않았다. 외투 밖으로 티셔츠 소매를 끌어내려 이리저리 꼬며 시간을 끌었다. 어딘가 창문이 열려 있는지 찬바람이 기다란 복도를 들쑤시며 학기 말의 어수선함을 몰고 다녔다. 나는 패딩 지퍼를 목까지 끌어 올리고 시린 종아리를 다른 쪽에다 번갈아 문질렀다.

K가 주머니에서 빨간 장갑을 꺼냈다.

"인터넷에서 샀는데 디자인이 심심해서 인형을 달아 봤어."

손모아장갑 손등에 납작하고 폭신한 원숭이 얼굴 인형이 붙어 있었다. 장갑에서 꽃향기가 났다. 향수까지 뿌려서 가져온 것 같았다. K는 장갑을 내밀었지만 나는 주머니에서 손을 꺼내지 않았다. K가 장갑을 창턱에 놓더니 같은 것을 하나 더 꺼내어 자신의 손에 꼈다. 겨울 동안 같은 아이템을 '우리 둘이서' 함께하자는 것이었다. 나는 창문으로 교실 안 벽시계를 보았다. 3교시 수업종이 울릴 때까지만 참기로 했다. 3교시부터는 졸업식 예행연습을 하기로 되어 있었다.

그런 나를 본 K가 말을 꺼냈다.

"있잖아, 아무한테도 말하지 않은 비밀이 있는데."

갑작스럽겠지만 그 비밀을 지금 말하고 싶다고 했다.

나는 별 기대 없이 K를 쳐다보았다.

"있잖아, 나, 외국에 사는 삼촌 있다고 했잖아."

K에게서 '있잖아'가 자꾸만 나온다는 건 말이 길어진다는 신호였다. 다만 오늘 말투는 묽고 성글었다.

어릴 적, 삼촌이 초등학교 입학 선물을 사서 한국에 온 걸로 기억한다고 했다.

"한 달쯤 우리 집에 있었을걸. 근데……, 날 만졌어."

나는 황급히 K의 얼굴을 쳐다보았다. 눈이 마주친 K가 당황하며 고개를 떨구었다.

"나중엔 이불에서…… 그러더라. 계속, 갈 때까지 계속. 가는 날 억지로 공항 가서 배웅하고, 메일도 보내고 막, 막……. 그래서 엄마한테 말했는데 엉덩이를 맞았어. 그런 거짓말은 하는 게 아니라고, 엄마도 아빠도 동생도 다 경찰서 간다고. 그땐 그 말을 믿었어. 정말 다 같이 잡혀 가는 줄 알았어. 엄마한테 맞은 건 그때뿐이야."

K의 말끝에 울음이 달렸다.

"아마 엄마는 다 잊어버렸을 거야."

풍경이 복도 끝으로 멀어졌다. K의 울음도 웅우우웅, 길게 늘어졌다. 얼굴이, 손이, 다리가 뻣뻣해지는 게 느껴졌다. 아이들이 지나며 힐끔거렸다. 우는 K보다 나를 더 쳐다보는 것 같았다.

K가 나를 창 쪽으로 돌려세웠다. 아직 할 이야기가 남았다고 했다.

"있잖아, 상담 선생님에게 하고 싶은 이야기는 이거밖에 없는데. 안 해, 안 할 거야. 선생님이 싫은 건 아닌데, 안 하고 싶어. 있잖아, 아무한테도……."

"왜 나한테 말해?"

내 몫의 원숭이 얼굴 두 개가 창턱에 기대어 나를 보고 있었다. 그것들을 쳐 냈다.

"나더러 어쩌라고? 누가 듣고 싶댔어? 안 궁금해, 관심 없어. 듣기 싫으니까 닥쳐, 제발 닥치라고!"

나는 뭍으로 끌어 올려진 물고기처럼 파닥거렸다. 몸에 박힌 바늘이 헤집는 아픔보다 숨을 곳 없이 드러난 정체로 어쩔 줄 몰라 하는 꼴이었다. 누구의 손에도 잡히지 않겠다고 온몸의 가시를 세웠다. 그 기세를 고스란히 K에게 퍼부어 댔다.

"왜 나야? 왜 나한테 말하냐고?"

커다래진 K의 눈에서 눈물이 후두둑 떨어졌다. 입을 가린 빨간 장갑에 눈물이 방울방울 맺히는 게 보였다. 나는 넘쳐 나는 분을 더 내지르려다가 멈췄다. 이제 아이들은 대놓고 우리를 구경했다. 3교시 시작을 알리는 종소리가 먼저였는지, 내가 그 자리를 떠난 게 먼저였는지 기억나지 않았다.

책상에 엎드려 있는데 앞자리 남자애가 선생님이 들어온 걸 알렸다.

"K랑 싸웠어?"

남자애가 고개를 아래로 들이밀며 나와 눈을 맞추려 애썼다.

"너무 심각해할 것 없어. 재, 화나도 금방 풀어져."

"나, 괜찮아."

야, 하고 망설이던 남자애가 말했다.

"넌 맨날 괜찮다고 하더라. 너, 지금 안 괜찮아 보이거든."

나는 얼굴을 가려 버렸다. 안 괜찮아 보이는 얼굴은 드러내고 싶지 않았다. 남자애는 내가 우는 줄 알고 당황했다. 잠시 후, '미안해.'라고 쓴 포스트잇을 내 책상에 붙였다.

수업을 마치고 교실이 비어 갈 때 나는 앞자리 남자애 어깨를 톡톡 두드렸다. 묻고 싶은 게 있었다.

"K, 거짓말 잘해?"

"어떤?"

나는 우물쭈물했다.

"거짓말은 모르겠고, 애들 말로는 돈 잘 써서 집이 부자인 줄 알았는데 아니래. 귀하게 대접받는 것 같은데 그것도 아니라는 소문도 있고. 그런데, 자기 입으로 부자라고 말하지 않았으면 거짓말한 건 아니지. 왜? 뭔 일인데?"

남자애는 내 말을 들을 준비가 되었다고 한쪽 어깨에 메고 있던 가방을 내려놓았지만 나는 교실을 나올 준비를 마쳤다.

"그냥, 잘 몰라서."

남자애는 뒷문으로 나가는 나에게 소리쳤다.

"그래, 너무 기대하지 말고, 상처받지 말고."

타박타박, 집까지 걸었다. K가 있을 것 같은 버스 정류장을 피해 골목에서 골목으로 길을 잡았다.

내가 K에게 기대했던가? 말을 걸고, 소소한 것들을 나눠 주고, 등하굣길을 같이한 K의 친밀함에 스며들면서도 나는 '우리'가 되는 것을 거부했다. K를 밀어내면서 한편으로는 계속 나에게 친절하고 다정하리라 믿었다. 결국 K는 무례하고 잔인했다. 소리치고 화내고 폭력을 쓰는 것만 나쁜 게 아니다. K는 엄청난 무게가 실린 비밀을 나에게 허락도 구하지 않고 덥석 넘겨주었다. 그러곤 '자, 네가 한번 감당해 봐.' 라고 했다. 듣고 싶지 않은 것을 들려주는 것도 나쁜 짓이었다. 왜 하필 나여야 하는지 화가 났다. K의 눈물에 공감하고 싶지 않았다. 난, 내가 감당해야 할 몫에 타인의 무게를 한 방울도 더 보태고 싶지 않았다. 단 한 방울도! 그게 나였다.

나도 안다. 매몰차게 화를 내서는 안 되는 상황이었다는 것을. 알면서도 내키는 대로, 나오는 대로 내뱉었다. 차라리 거짓말이었으면, K가 거짓말을 달고 사는 애라면 내가 보인 반응이 떳떳할 수 있었을 것이다. 비밀을 털어놓은 K도 싫었지만, K의 믿음을 그 자리에서 무참히 깨 버린 나 자신도 싫었다.

이제는 K와 어떻게 되든 상관없었다. 100일쯤 알고 지내면서도 K의 이야기를 귀담아들은 적이 없었고, K가 무얼 원하는지 무얼 좋아하는지 마음에 담아 두지 않았다. 낯선 것들이 시간이 지난다고 해서 모두 익숙해지는 것은 아니었다. 매일 만나도 상대를 좋아하지 않을 수 있고 친해지지 못할 수도 있었다. 마음의 깊이가 반드시 시간과 비례하는 것은 아니었다.

한 번만 더 나를 불러낸다면, 듣고 싶지 않은 이야기를 내 귀에다 쑤셔 넣은 K의 뺨을 후려칠 수도 있을 것 같았다. 다행히도 그런 일은 일어나지 않았다.

고등학교 예비 소집일에 K가 다른 고등학교로 입학 신청을 한 걸 알았다. 나 때문이라는 생각을 지울 수 없었다. 내가 준 상처가 너무 컸기 때문인지, 털어놓은 비밀이 퍼질까 봐 그랬는지 알 수 없었다. 어꼈든 K도 나에게서 돌아선 건 확실했다.

다시는 K를 만나지 못했다. 동네에서 우연히 마주치는 일도 없었다. 못난 나를 자책하고 듣고 싶지 않은 비밀을 떠안긴 K를 욕하며 겨울을 보냈다. 어느 날 문득, K에 대한 다른 생각이 떠올랐다. K 또한 나에게서 자신과 같은 색깔을 봤을 것만 같았다. 비밀을 나눌 친구가 하필 나여야 하는 이유를 찾은 것인지도 모른다.

그 겨울엔 높이 오르지 않아도 바람을 입안에 머금을 수 있는 날이 많았다. 뺨이 얼어서 따갑도록 거리를 쏘다녔다. 차가운 바람이 K의 기억과 함께 괜찮지만 괜찮지 않은 나를 말끔히 쓸어 가 주길 바랐다. 나는 스스로를 외면해야 했다. 그게 안전해지는 길이었다.

눈을 가리고 있던 비니를 걷어 올렸다.

오늘 K가 사람들 앞에 섰다. 공개적으로 비밀의 봉인을 뜯어낸 것이다. K는 그동안 어떻게 지냈을까? 상담 선생님에게 한 마디도 하지 않던 아이가 누구나 볼 수 있는 광장으로 나와 피켓을 들 수 있기까지 무슨 일이 있었는지 알고 싶어졌다.

버스는 아직 도심을 빠져나가지 못하고 있었다. 안전벨트를 풀고 앞으로 걸어 나갔다. 몸이 좋지 않다고, 내리고 싶다고 하자 버스 기사가 갓길에 차를 세웠다.

곧장 택시를 타고 터미널로 돌아갔다. 그사이에 K가 '공소 시효 폐지' 피켓을 거두고 광장을 벗어났을까 봐 조바심이 났다.

택시 운전기사는 내가 고속버스를 타러 가는 줄 알고 차 시각을 물었다.

"무조건 빨리 가야 해요."

내 재촉에 "허허, 가 봐야지요." 택시 기사가 고개를 주억거렸다.

터미널 맞은편에 도착한 기사는 차를 돌리는 것보다 내려서 횡단보도를 건너는 게 더 빠를 거라고 했다. 신호가 바뀌자마자 광장으로 뛰었다. 누군가를 놓치지 않기 위해서 달려 본 건 처음이었다. 아침까지만 해도 이름조차 떠올리지 못한 아이를 잡으려고, 추운 날 땀이 나게 뛰게 될 줄은 몰랐다.

어떤 말로 인사를 해야 할지, 예전의 일을 어떻게 꺼내야 할지 막막했다. 비밀의 무게를 감당할 수 없었다거나, 상처를 나눠 갖기엔 너무 어렸다거나 하는 변명을 아직도 써먹고 싶었다. 하지만 그것만으로는 그때의 나를 설명하지 못한다는 걸 알고 있었다.

K는 비밀을 세상에 뿌렸지만 나의 비밀은 여전히 비밀로 남아 있었다. 나보다 먼저 도망치듯 전학을 간 아이들이 무슨 짓을 했는지, 왜 건물 옥상에는 올라가지 않겠다고 약속해야 했는지, 중학교 졸업을 한 학기 앞두고 왜 이사와 전학을 갔는지, 어째서 어른들은 나에게 상담이 필요하다고 여겼는지. K가 삼촌에 대해 말하는 순간 숨이 멎고 풍경이 뒤틀렸던 이유까지도 아직 내 속에 봉인되어 있다. 그 후로 나는 좀처럼 나를 들여다보지 않았다. 그 시간들이 지금까지 계속되고 있었다. 이젠 나조차도 그때의 나를 잘 알지 못한다. 그래서 오늘 이진이라는 사람에 대해 어떻게 설명해야 할지 암담했다.

생각이 여기까지 미치자 발걸음이 느려졌다. 도망치고 싶어졌다. 이대로 저만치 입을 벌리고 있는 지하철역 입구로 들어가기만 하면 된다. 상담 선생님에게 그랬던 것처럼 내 앞에 펼쳐진 상황을 외면하면 그만이었다. 하지만 자꾸만 피켓을 든 K의 모습이 겹쳐졌다.

광장엔 스피커 소리가 사라지고 없었다. 피켓도 보이지 않았다. 주위를 두리번거리다가 광장 끝 자전거 보관대 옆에 시위에 쓰였던 장비들이 모아져 있는 것을 발견했다. 시위를 했던 사람들로 보이는 몇이 있었지만 K는 아니었다. 나는 그들에게 다가가지 못했다. K의 연락처를 묻거나 내 연락처를 남기는 그 쉬운 걸 하지 못해서 그들 앞을 얼쩡거리기만 했다. 장비를 실어 갈 차를 기다리는 것인지 그들도 떠나지 않았다.

그런데 K가 오고 있었다. 사람들과 함께 터미널에서 나오는 걸 보면 화장실이라도 다녀오는 모양이었다.

K가 멈칫했다. 점점 가까워지는 K를 향해 간신히 손을 들어 보였다.

"이진이 맞지?"

잘 모르던 아이는 나를 기억하고 있었다.

잘 모르던 아이

첫판 1쇄 펴낸날 2022년 8월 31일
4쇄 펴낸날 2024년 4월 25일

지은이 은이결
펴낸이 박창희
편집 홍다휘 백다혜 **디자인** 배한재
마케팅 박진호 **홍보** 김인진
회계 양여진

펴낸곳 (주)라임
출판등록 2013년 8월 8일 제 2013-000091호
주소 경기도 파주시 심학산로 10, 우편번호 10881
전화 031) 955-9020, 9021 **팩스** 031) 955-9022
이메일 lime@limebook.co.kr **인스타그램** @lime_pub
홈페이지 www.prunsoop.co.kr

ISBN 979-11-92411-07-1 44810
979-11-951893-0-4 (세트)

* 이 도서는 한국문화예술위원회의 2022년 아르코문학창작기금(발간지원) 사업에 선정되어 발간된 작품입니다.